GLASS BEADS WORK

ビーズ織り

佐古孝子著

クリスタルな午後

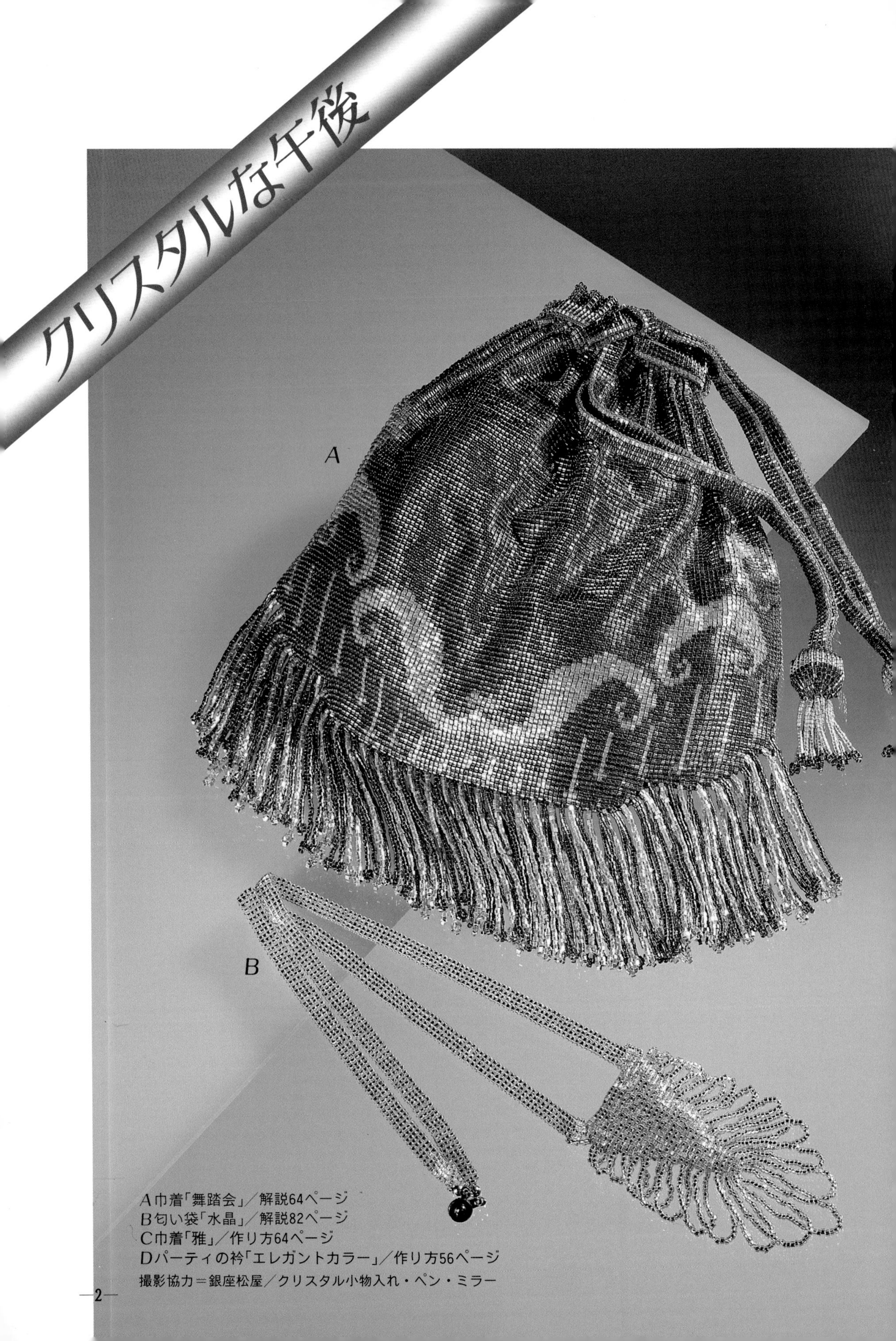

A巾着「舞踏会」／解説64ページ
B匂い袋「水晶」／解説82ページ
C巾着「雅」／作り方64ページ
Dパーティの衿「エレガントカラー」／作り方56ページ
撮影協力＝銀座松屋／クリスタル小物入れ・ペン・ミラー

GLASS BEADS WORK

C

D

GLASS BEADS WORK

A

Aポシェット「コメット」／解説86ページ
Bポシェット「アイリス」／解説86ページ
Cポシェット「ブリリアント」／解説86ページ

撮影協力＝銀座松屋／メタルチョコレート・アメ・手袋・ハンカチーフ

Aポシェット「リボン」／解説86ページ
Bペンダント「星」／作り方51ページ
Cコサージ「聖火」／解説82ページ
撮影協力＝銀座松屋／ブラウス

C

ロンドンの街角

GLASS BEADS WORK

Aコサージ「ベアトリックス」／作り方57ページ
Bペンダント「木の葉」／解説82ページ
Cブローチ「ペーズリー」／作り方74ページ
D巾着「パリジェンヌ」／作り方66ページ
撮影協力＝銀座松屋／帽子・マフラー

メルヘン讃歌

GLASS BEADS WORK

ペンダント・ブローチ・イヤリング
A「カトレヤ」／作り方48ページ
B「ハート」／作り方50ページ
C「チューリップ」／作り方49ページ
D「ラディッシュ」／作り方51ページ
E「モミノ木」／作り方53ページ
F「ユリ」／作り方49ページ
G「花の少女」／作り方82ページ
H「エコー」／作り方52ページ
I「マダム・フミ」／作り方72ページ
J「ダイヤモンド」／作り方32ページ
K「花」／作り方72ページ
L「窓」／解説28ページ
M「ラクダ」／作り方36ページ
N「レインボー」／解説83ページ
O「白い家」／作り方53ページ
P「パーティ」／作り方71ページ
Q「花車」／作り方48ページ

プティフルール

撮影協力＝プランタン銀座／ストール・帽子・手袋

Aネックレス・イヤリング「スリット」／作り方54ページ
Bネックレス「チューリップ」／作り方83ページ
Cネックレス・イヤリング・ブレスレット「三つ編み」／作り方55ページ
Dチョーカー「蝶」／作り方73ページ
Eチョーカー「バラ」／作り方73ページ
Fペンダント「リーフ」／作り方50ページ
Gペンダント「匂い袋」／作り方56ページ
Hチョーカー「菱形」／解説82ページ
Iネックレス「シリンダー」／解説83ページ
J小物入れ「クローバー」／解説85ページ
Kペンダント「秘密の箱」／作り方52ページ
Lネックレス「ファミリーローズ」／作り方34ページ
Mブレスレット「小花」／解説83ページ
Nブローチ「パラソル」／作り方76ページ

GLASS BEADS WORK

バラの仲間たち

Aメガネケース「五月のバラ」／作り方60ページ
Bメガネケース「バラのアーチ」／作り方61ページ
C小物入れ「散歩」／作り方62ページ
D小物入れ「バラのポーチ」／解説85ページ
Eネクタイ「春風」／作り方59ページ
Fミニポーチ「家紋」／作り方75ページ
G巾着「古典」／作り方77ページ

GLASS BEADS WORK

名画シリーズ

A

B

C

Aタペストリー「稔りの儀式」／参考作品
B額「あじさい」／解説84ページ
C額「藤色のドレス」／参考作品84ページ
Dタペストリー「エジプト風のカーテンのある中近東の部屋」／参考作品84ページ
Eタペストリー「ビアズリーの花から」／参考作品84ページ
Fテーブル花「バラ」／解説84ページ

D

E

F

*A*パーティバッグ「花盗賊」／解説85ページ
*B*セカンドバッグ「騎手」／作り方68ページ
*C*パーティバッグ「花園」／解説85ページ
撮影協力＝プランタン銀座／ストール・コサージ・香水
撮影場所＝ホテルニューオータニ（レストランバルゴ）

ファッシネーション

C

A
B
GLASS
BEADS
WORK

Aパーティバッグ「パリの春」／参考作品
Bパーティバッグ「想い出」／解説87ページ
Cパーティバッグ「エリザベス」／参考作品
撮影協力＝プランタン銀座／ストール・コサージ・香水
撮影場所＝ホテルニューオータニ（レストランバルゴ）

雅の詩

B

A

GLASS
BEADS
WORK

撮影協力＝プランタン銀座ノリコアートコレクション／ネックレス・ブローチ

Aポシェット「野バラ」／作り方77ページ
Bパーティバッグ「紗綾形」／作り方42ページ
Cベルト「バラ」／作り方38ページ
D帯メ「メロディー」／作り方58ページ
E帯メ「さざ波」／作り方58ページ
F帯メ「縦枠模様」／作り方58ページ

GLASS BEADS WORK

パーティバッグ「辻が花」／解説87ページ

楽しいビーズ織り

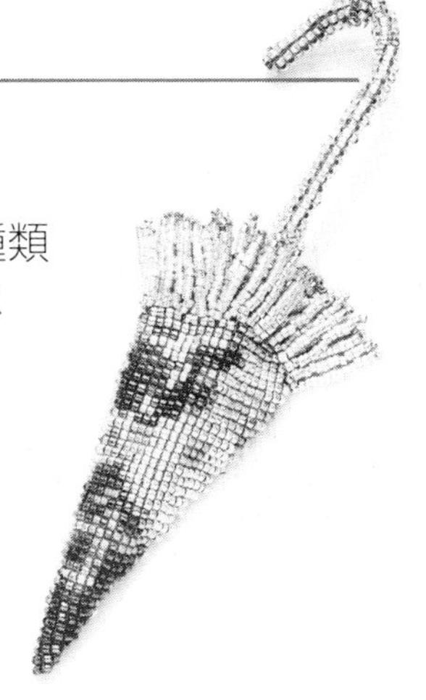

今、ビーズ織り用のグラスビーズは、約150種類と豊富です。淡いきれいなパステルカラー、メタリックな雰囲気のラスター、おしゃれな感じのモノトーン、つや消し、しっとり高級感のある本銀、本金。

とりどりの色の組み合せで、ロマンティックなオリジナル作品の夢が、限りなく広がります。

GLASS BEADS WORK

材料・用具

●ビーズ　丸ビーズ(1.2mm×1mm)、カットビーズの2種類あり、従来のガラスビーズより直径が小さく、穴は大きく厚みが薄いので軽く、しかも針が通しやすくて、織りやすくできています。

本書ではアンティークビーズ(A)、デリカビーズ(DB)を使用し、それぞれをA、DBで表示してあり、どちらもガラス製です。金、銀、ニッケル、グリーン、赤、紫は、金を混ぜて作った玉虫色で、メタリックな輝きをもっています。そしてカットビーズは、キラキラと宝石のような輝きをかもし出し、図案のポイントに使うと効果的です。真珠の輝きをもつパール加工のもの、虹のような光を持つオーロラ加工など各色揃っています。

●針　細くてビーズの通りやすいビーズ針4.3cm、9cmは糸の始末に便利です。幅の広いシートを織るときは長いものがビーズをたくさんすくえて織りやすく、9cm、12cmがあります。

ビーズ針は針穴が細いので糸通しを使うと便利です。裏地とじは縫針でとじつけます。

●糸　糸はパッチワークなどに使うポリエステル100%の60番を使います。丈夫で織りやすく、糸始末もスムーズで50m巻、500m巻があります。

●ハサミ　糸を切ります。あまり大きくないにぎりバサミがよいでしょう。

●定規　シートの幅を計りながら織り幅を一定にします。20cm位の透明なものがシートの柄が見えて便利です。

●歯ブラシ　タテ糸がもつれないようにとかします。ブラシは新しいもので毛の分量の多いものを使いましょう。

糸とビーズ

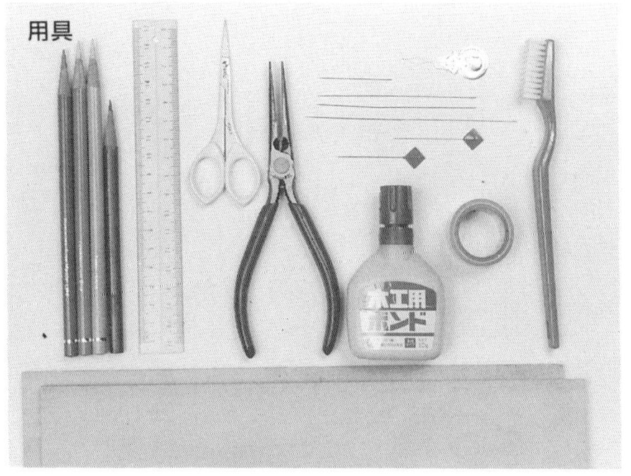

用具

●セロハンテープ　タテ糸がスプリングから浮き上らないように止めたり、押え棒を固定したり、糸の押えに使いますから幅1cmのもので透明なものが最適です。

●鉛筆・色鉛筆　シートを織るたびに目数表に鉛筆で一段ずつ印をつけていくと便利です。ビーズの色の表示に合わせて、色鉛筆で目数表や図案を色分けしておくと見やすく作業がすすみます。

●ボンド　クサリの金具つけに使ったり、作品のシートに使います。あとで透明になる木工用ボンドを使いましょう。

●ペンチ　ビーズの型の悪いものをつぶしたり、金具つけに使います。あまり大きくないもので先の細いラジオペンチを使います。またワイヤーを切る時使います。

●板の定規　ベニヤ板か厚紙で5cm×30cmの定規を2枚作ると便利です。2枚の定規を長さに応じてテープでとめて、必要な長さの糸を作ります。

例えば90cmの糸を作る時は、45cmの定規を作り1巻きさせます。5cmの幅があるので必要本数の糸を巻きとるのに便利です。

●スレーダー（糸通し）ビーズ針の穴は細いのでスレーダーを使うと便利です。針の穴にスレーダーを通し、スレーダーの中に糸を通して引きます。

●裏地・芯地　薄手サテン、キュプラ、富士絹などで、バッグの地色に色を合わせます。地模様のある裏地も、口金をあけた時にきれいです。

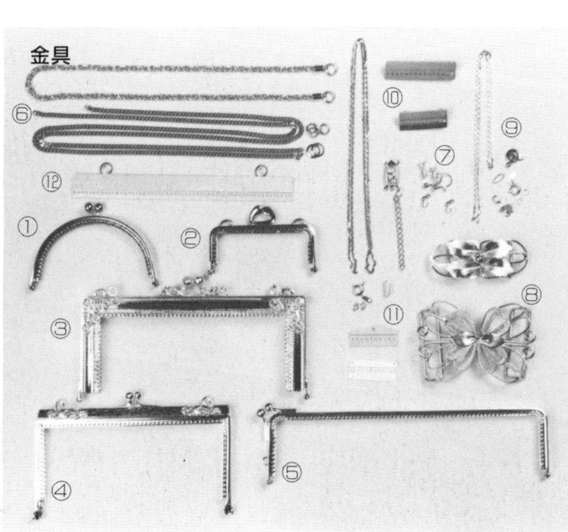

のりのついた芯地を裏地にアイロンかけして使うとはりが出ます。

●口金・金具　美しく織り上げたバッグをより豪華な作品に仕上げるのが口金です。バッグの織り幅に合わせてサイズを決めます。

①は丸型でメガネケースに使っています。丸型は見た目もやさしく、おしゃれっぽくてメガネのフレームになじみます。丸い型は優しさがあり、サイフにも使えます。

②は角型で小物入れやサイフに使います。

③は角型で豪華な飾りが中央と肩について、穴が網状になっていて、シートは口金の外側につけます。

④は角型で、シンプルなデザインが、ビーズ織りの美しい模様を引き立てます。

⑤幅の広い口金で、セカンドバッグやメガネケースに使います。

⑥ハンドバッグ用クサリ　⑦イヤリング金具セット　⑧ベルトバックル　⑨ネックレス用クサリセット　⑩ブローチ金具　⑪ネックレス用金具セット　⑫タペストリー金具

●織機　大、小2種類あります。作品の大きさによって使い分けます。

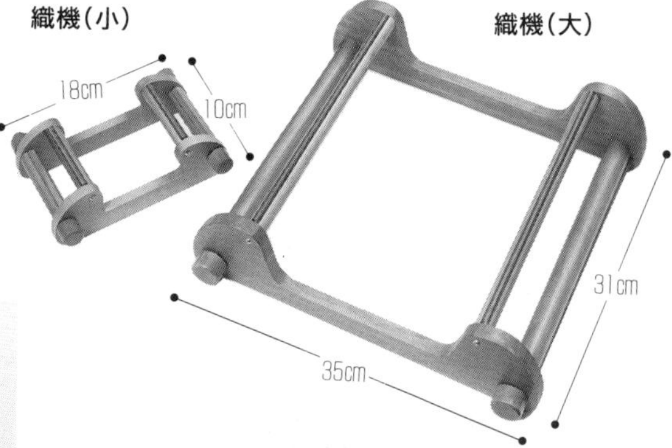

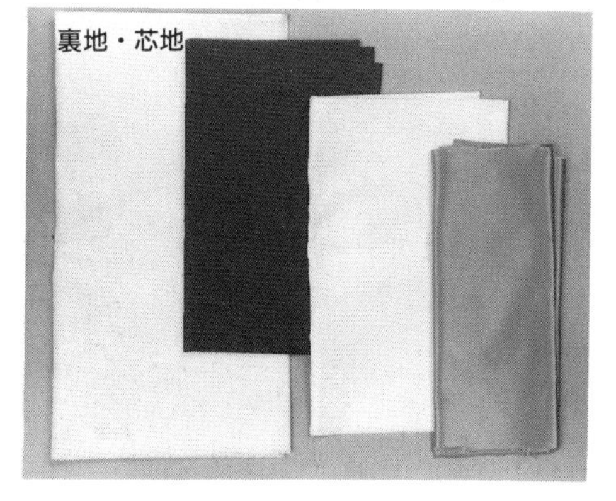

ビーズ織りの基礎

●タテ糸の張り方

タテ糸の張り方は2通りあります。その一つは、作品を作るために必要な長さのタテ糸を、必要な本数だけ切って束ね、糸張りを行う方法と、もう一つは作品の中のタテ糸が端から端まで1本につながった状態に糸を張る方法です。

長さを切り揃えて糸を張るものは、織ったシートを巻き取りながら織るもので、パーティバッグや幅の広いタペストリー、長いベルトなどです。これは織り終ったものに糸始末をして1枚のシートに仕上げます。

小物アクセサリーのペンダントやイヤリングなどの小さなシートは1本の糸で織り上げて糸を引く糸始末のない織り方の方が簡単です。

作品に応じて使いわけて糸張りをしましょう。

●織機の扱い方

ビーズ織りは織機に糸を張って織ります。小さなアクセサリーには小さな織機が便利です。幅の細いベルトやひもも織れますし、糸を引いて作るペンダントなどに使います。

幅の広い大きい織機は、パーティバッグ、タペストリー、額の絵など大きな作品を織ります。

糸を張る時はネジをしめたり、ゆるめたり、いつも糸の張り具合を見ながら調節し、糸が浮き上がらないように、セロハンテープを使って固定すると便利です。

●糸の始末

ビーズ織りには必ず糸の始末をしますが、細い短い針を使って、ヨコ糸を浅くすくうとシートがきれいに仕上ります。

●図案

図案は方眼用紙に書いて色鉛筆で色わけして織りやすく工夫しましょう。

●織り方のポイント

①タテ糸を均等にピンと張ってビーズの通しこぼれをふせぎましょう。

②タテ糸の引きかげん、織り幅に気をつけ、ときどき定規をあてて幅を確認しましょう。

③ヨコ糸は「はた結び」で糸をつなぎ、継ぎ目がシートの端にこないように注意しましょう。

④糸の始末が表シートにひびかないように、なめらかなシートに仕上げましょう。

はた結び

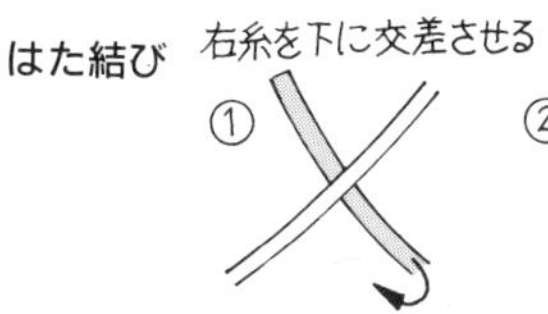

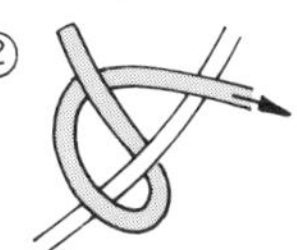

左糸を 輪の中に折る
折りまげる
③

右糸を引く
④
引く

織り方の基本

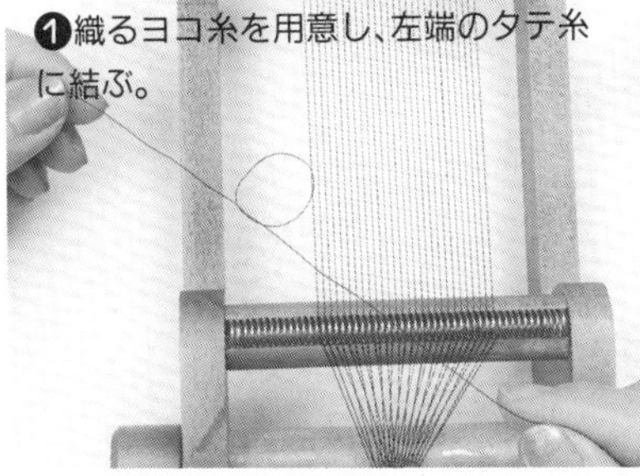
❶織るヨコ糸を用意し、左端のタテ糸に結ぶ。

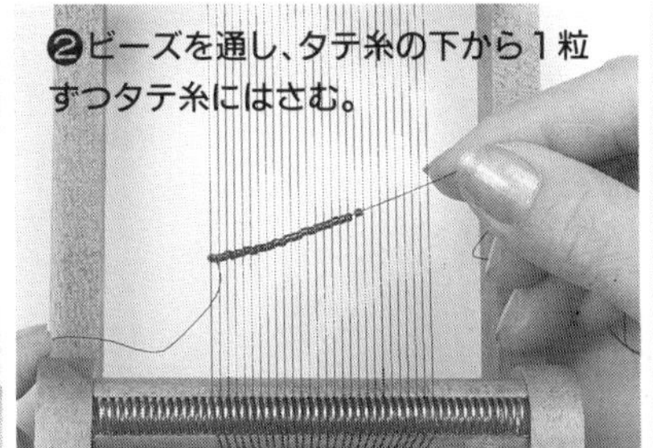
❷ビーズを通し、タテ糸の下から1粒ずつタテ糸にはさむ。

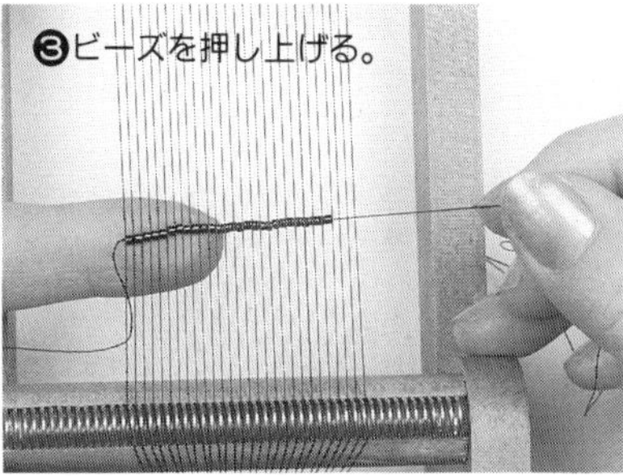
❸ビーズを押し上げる。

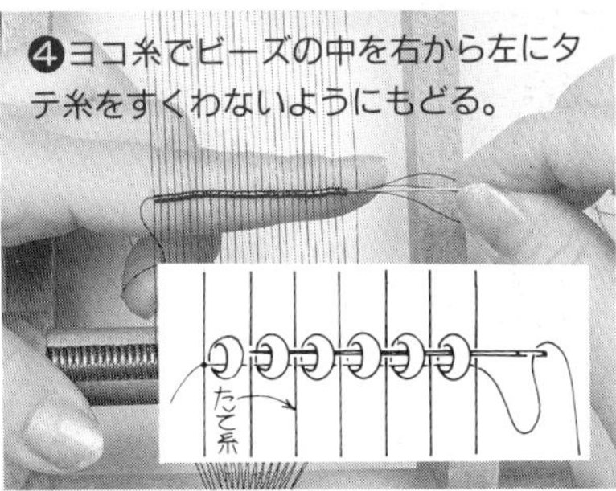

❹ヨコ糸でビーズの中を右から左にタテ糸をすくわないようにもどる。

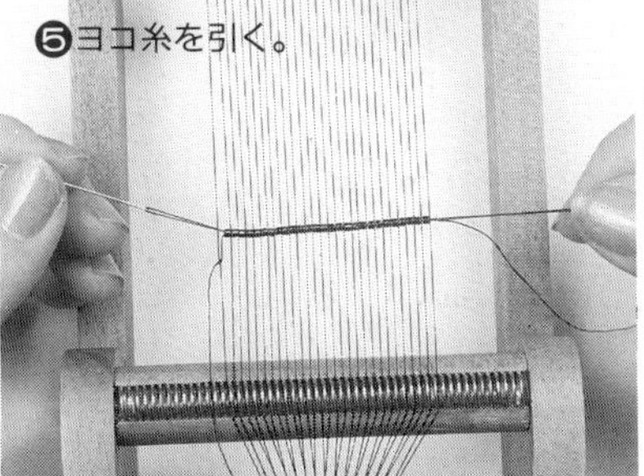
❺ヨコ糸を引く。

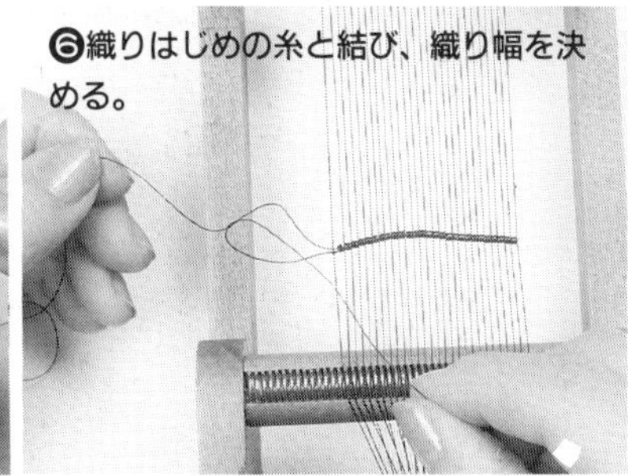
❻織りはじめの糸と結び、織り幅を決める。

窓（ペンダント） 11ページ

●ポイント

色とりどりの可愛いパンジーが、窓の向うから春のかおりを運んでくる。ビーズの１粒１粒が春風にゆれて語りかけます。あなたの創造を豊かに、ごいっしょに夢を織りましょう。

窓の景色は淡いブルー、黄色、ピンク、赤をミックスして楽しい雰囲気を。フリンジを沢山つけて動きを出しましょう。

●材料

ビーズ…紺（DB-2）5g　水色（DB-44）3g
うす紫（DB-72）１g　糸…グレー50m巻

●目数と段数 25目×23段

●タテ糸の本数 26本

●フリンジ 26本

●ひも 約65.8cm（紺40粒、水色6粒をピコット、このくりかえし）

目数表の見方

左端のタテの数字は段数を表わし、ヨコの数字はビーズの目数を表わします。

口絵11ページ作品*L*は27目×25段。応用作品

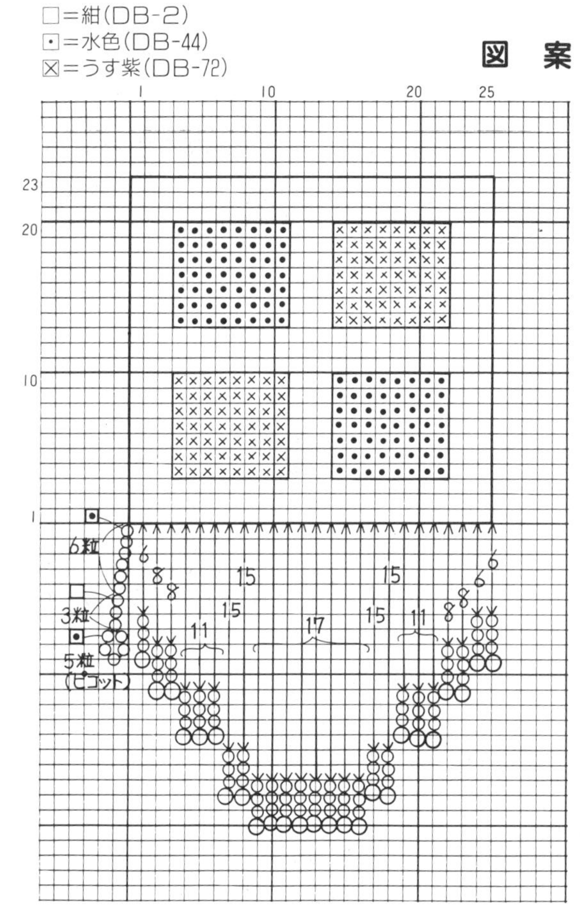

目数表

段					
1	25				
2	25				
3	25				
4	3	8×	3	8●	3
5	3	8×	3	8●	3
6	3	8×	3	8●	3
7	3	8×	3	8●	3
8	3	8×	3	8●	3
9	3	8×	3	8●	3
10	3	8×	3	8●	3
11	25				
12	25				
13	25				
14	3	8●	3	8×	3
15	3	8●	3	8×	3
16	3	8●	3	8×	3
17	3	8●	3	8×	3
18	3	8●	3	8×	3
19	3	8●	3	8×	3
20	3	8●	3	8×	3
21	25				
22	25				
23	25				

フリンジ

本			
1	6●	3	5●
2	6●	3	5●
3	8●	3	5●
4	8●	3	5●
5	11●	3	5●
6	11●	3	5●
7	11●	3	5●
8	15●	3	5●
9	15●	3	5●
10	17●	3	5●
11	17●	3	5●
12	17●	3	5●
13	17●	3	5●

フリンジは１から13本目までつけ、また13から１へもどり、計26本つける。

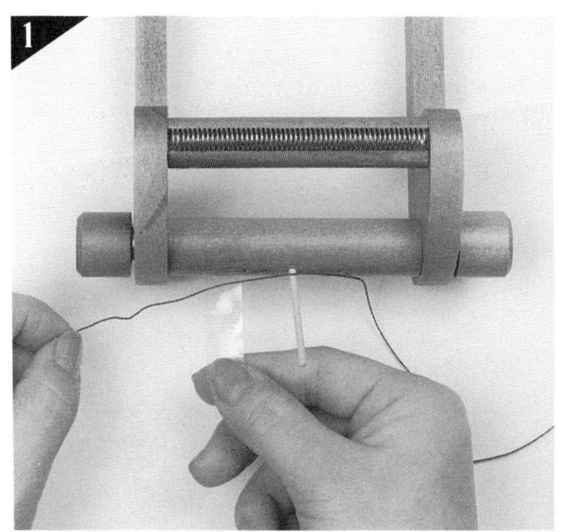

小さい織機に止め棒をさしこみ、糸端をセロハンテープで止めます。

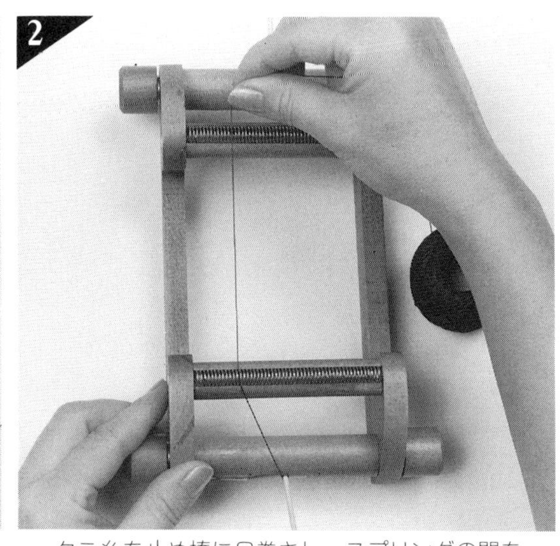

タテ糸を止め棒に3巻きし、スプリングの間を平行に通します。

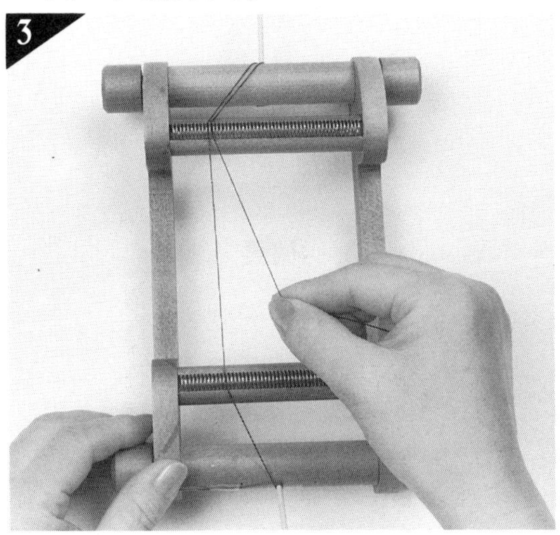

反対側の棒に糸をかけ、となりのスプリングの間を通ってもどりながらタテ糸を張ります。

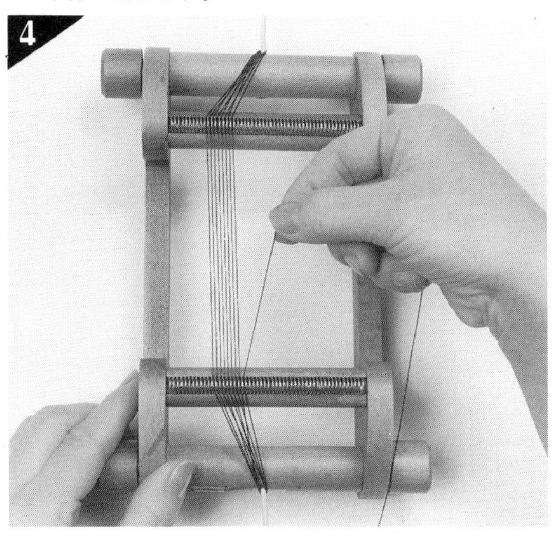

棒に左から右へと交互に糸をかけながら、目数より1本多く糸を張ります。

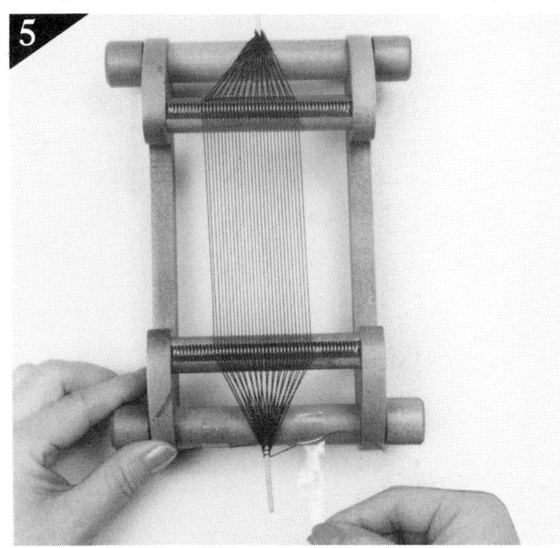

張り終ったら、2巻きほどし、糸端をセロハンテープで止めます。

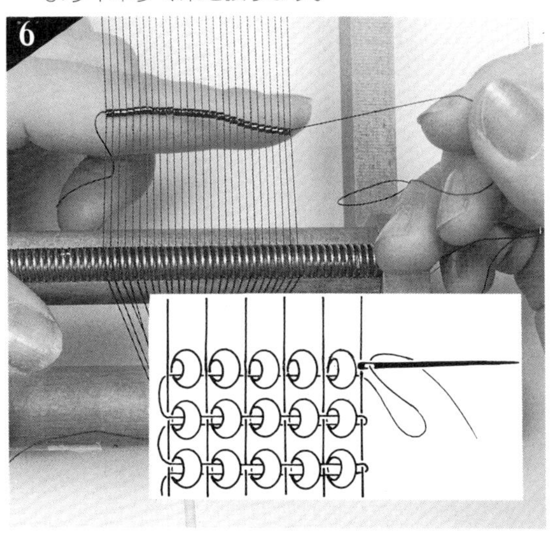

約80cmのヨコ糸を通した針にビーズを通しタテ糸の上からタテ糸をすくわず針穴側から通す。

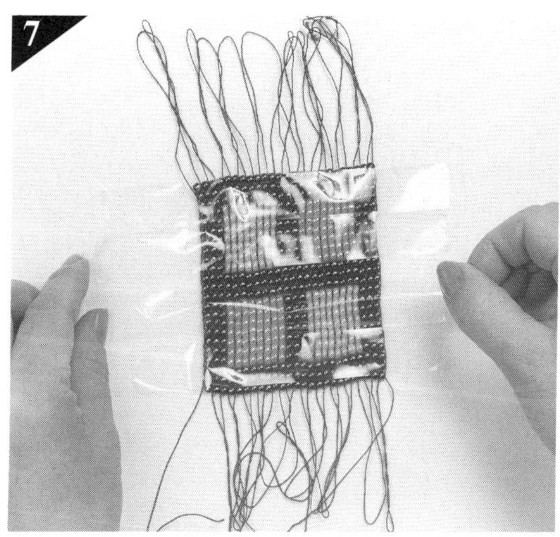

織り終ったらヨコ糸の始末をして、織機からシートをはずし、セロハンテープで固定します。

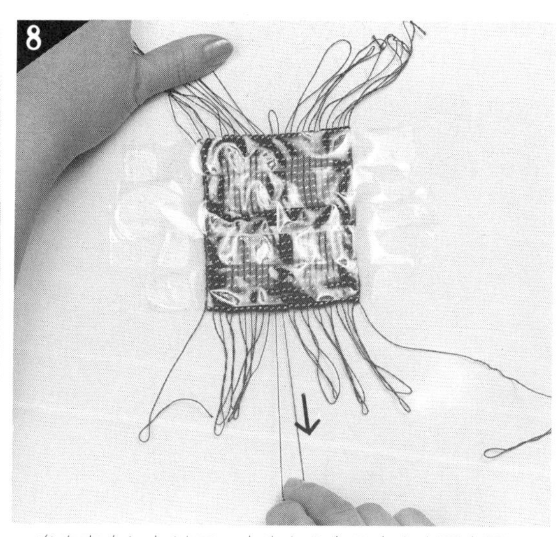

糸を左右にわけて、中央からタテ糸を上下交互に引きます。

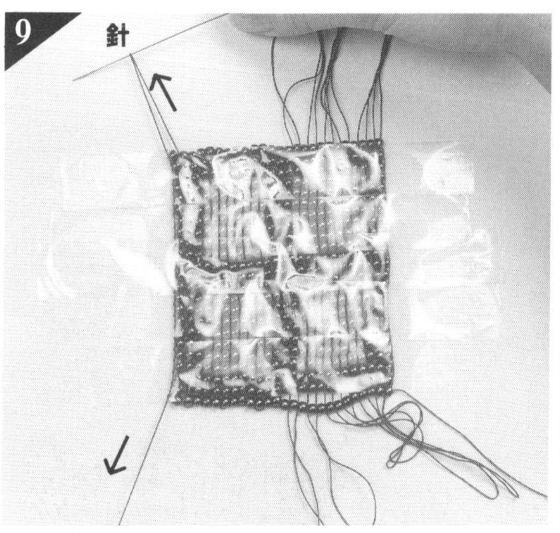

針先でかげんしながら中央から左側を先に、最後まできれいに糸を引きます。

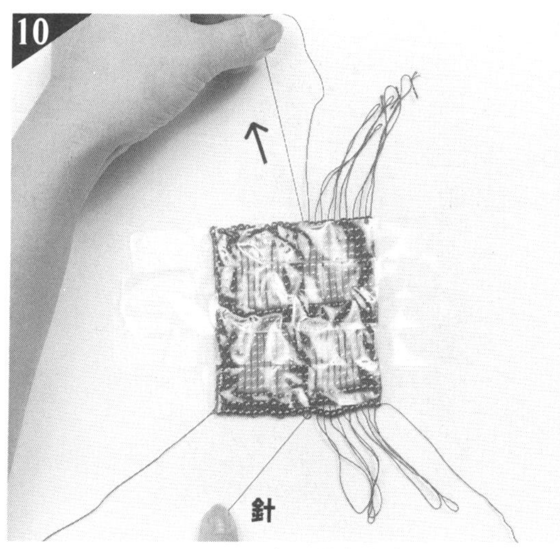

こんどは右側へと順に糸を引きます。

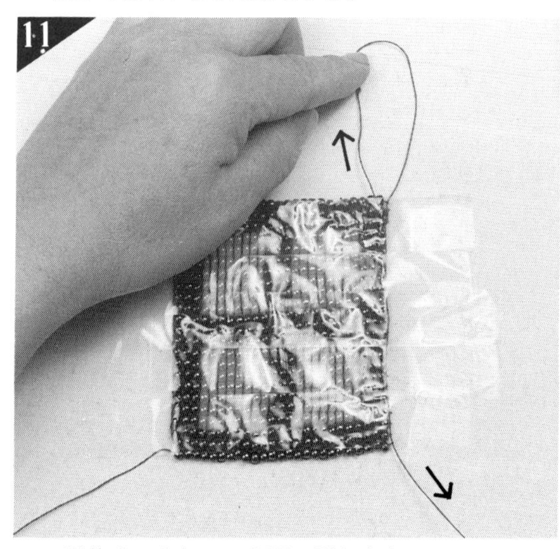

最後まできれいに右下へ引きます。

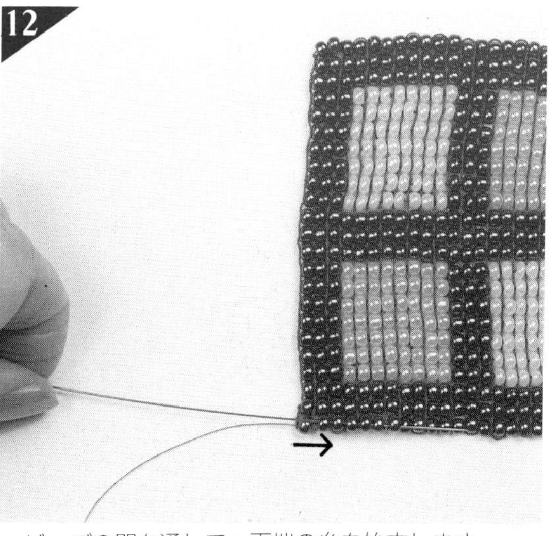

ビーズの間を通して、両端の糸を始末します。

13

フリンジをつける糸を約１ｍ用意しビーズを14粒通して、５粒を残しビーズの中をもどります。

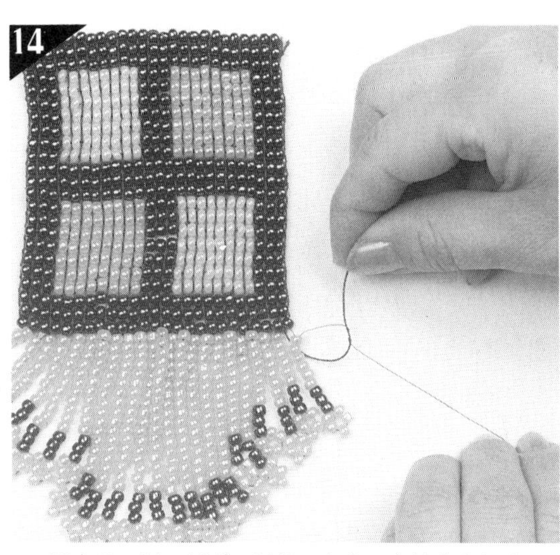

14

26本のフリンジがつけ終ったら、糸始末をします。

15

約220cmの糸を２本どりにして、３段目から通します。

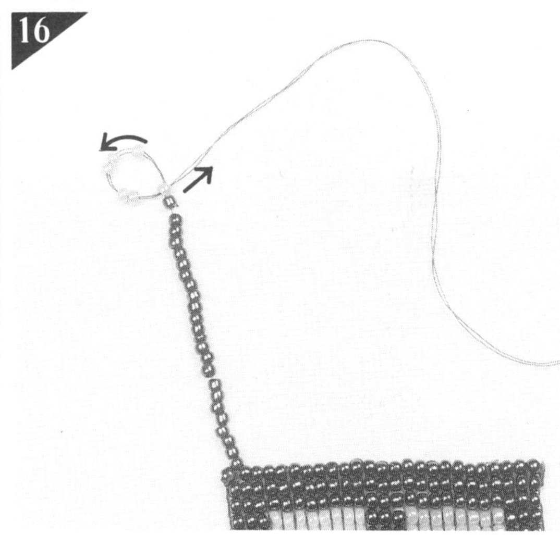

16

左端１粒手前に出てビーズを通し、水色６粒を通してピコットを作ります。

ポイント

●針のもどし方

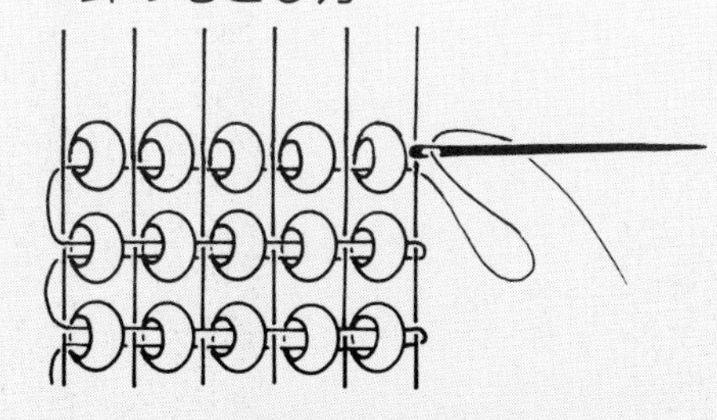

シートを織り上げて糸を引く作品の場合は、タテ糸をすくってしまうと糸が引けなくなるので、必ず針の穴の方からビーズの中をもどります。

●ピコット

必要数のビーズを通し、６番目のビーズを１粒すくうとピコットができます。

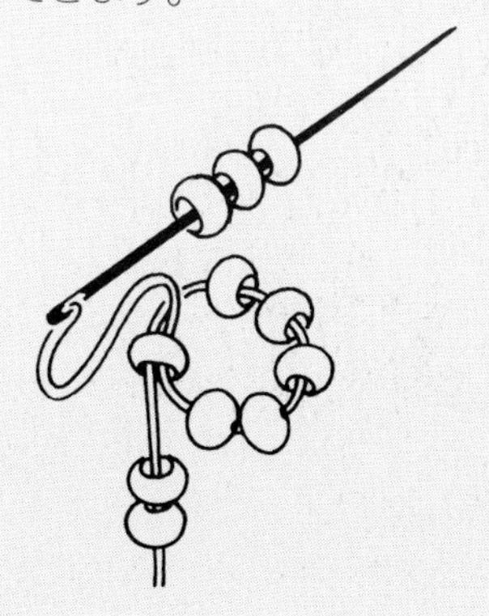

ダイヤモンド（ペンダント）

10ページ

●材料

ビーズ…本金（A-712）3g　ニッケル（A-711）3g

糸…グレー50m巻　クサリセットゴールド

●目数と段数　25目×25段

●タテ糸の本数　26本

●フリンジ　26粒×26本

図案

⊡ ＝ニッケル（A-711）

□ ＝本金（A-712）

1

10

20

25

3粒

3粒

3粒

3粒

3粒

3粒

3粒

5粒（ピコット）

目数表

25段から1段に向かって織る

段									
1	1								
2	3●								
3	1	3●	1						
4	3	1●	3						
5	2●	5	2●						
6	1	3●	3	3●	1				
7	3	3●	1	3●	3				
8	2●	3	5●	3	2●				
9	1	3●	3	3●	3	3●	1		
10	3	3●	3	1●	3	3●	3		
11	2●	3	3●	5	3●	3	2●		
12	1	3●	3	3●	3	3●	3	3●	1
13	3	3●	3	3●	1	3●	3	3●	3
14	3	3●	3	5●	3	3●	3		
15	3	3●	3	3●	3	3●	3		
16	3	3●	3	1●	3	3●	3		
17	3	3●	5	3●	3				
18	3	3●	3	3●	3				
19	3	3●	1	3●	3				
20	3	5●	3						
21	3	3●	3						
22	3	1●	3						
23	5								
24	3								
25	1								

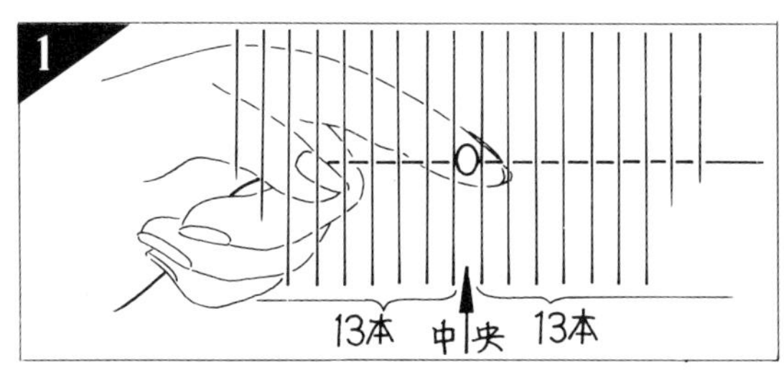

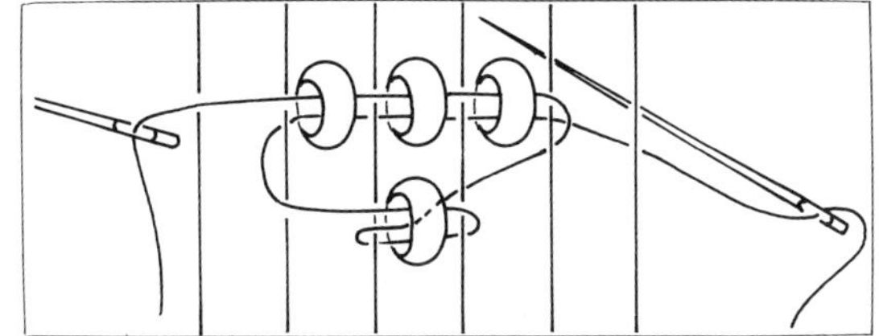

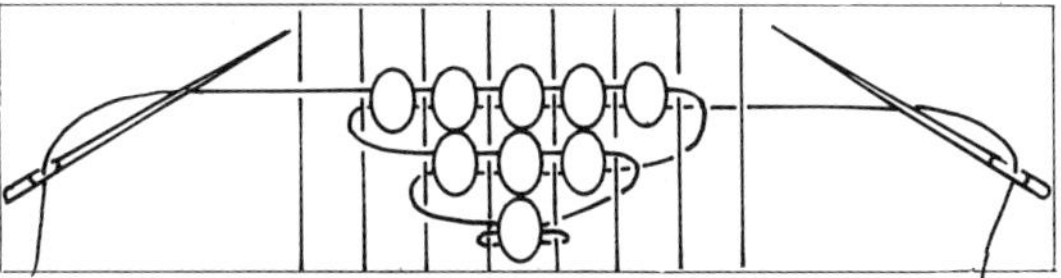

ヨコ糸の両端に針を通し、ビーズの中を交差させて、ビーズを固定します。

糸始末をしてフリンジをつけたら、シートの先に金具をつけます。

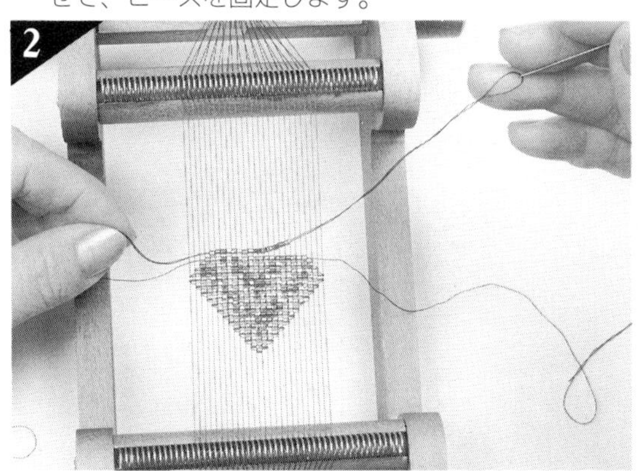

14段目から目数を減らしていきます。

結び目にボンドをつけて固めます。

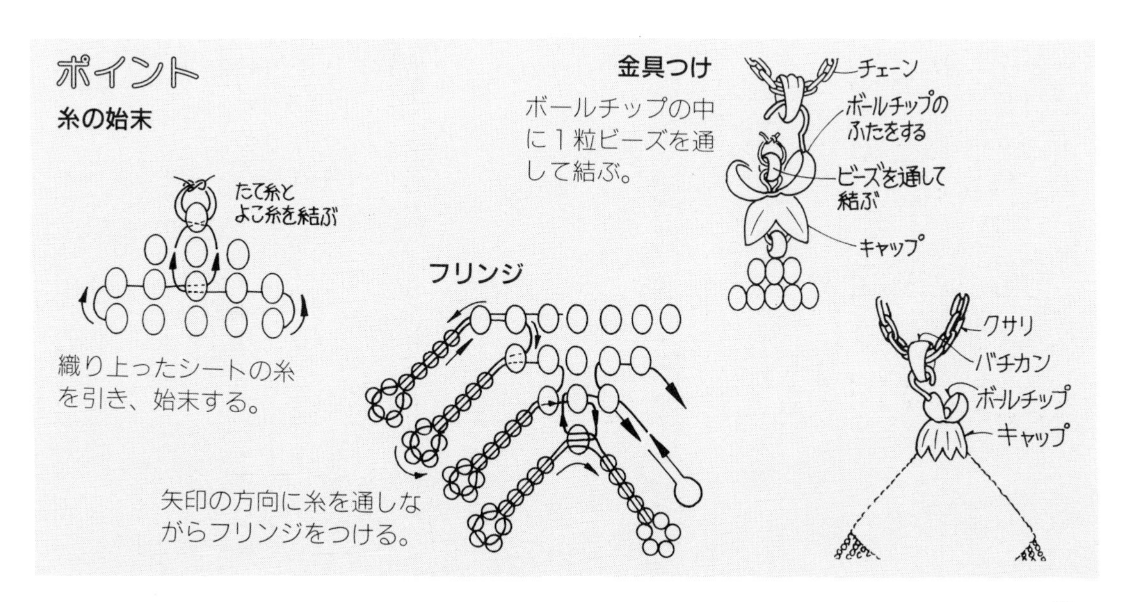

ファミリーローズ(ネックレス)

13ページ

●材料

ビーズ…クリーム色(DB−203) 24g　グリーン(DB−27) 3g

紫(DB−74) 3g　うす紫(DB−72) 3g　黄緑(DB−60) 3g

赤(A-332) 3g

糸…ベージュ50m巻

●目数と段数　16目×121段

●タテ糸の寸法　80cm×18本

□ ＝クリーム色(DB−203)

⊠ ＝グリーン(DB−27)

◎ ＝紫(DB−74)

◉ ＝うす紫(DB−72)

⊡ ＝黄緑(DB−60)

◬ ＝赤(A−332)

図　案

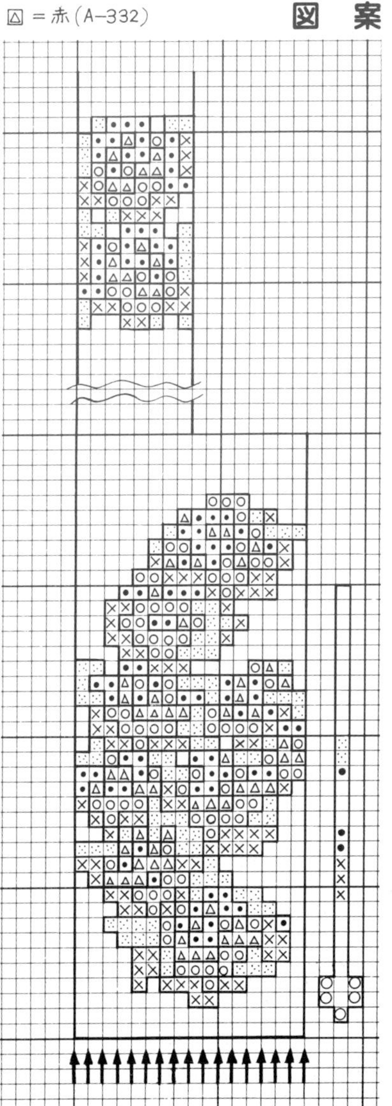

目数表

段													
1	16												
2	16												
3	8	2×	6										
4	4	1×	1	3×	1○	2×	4						
5	4	2×	1⊡	4○	3⊡	2							
6	4	2×	1⊡	3△	2○	1⊡	2×	1					
7	3	3⊡	1○	1△	2●	3△	2×	1					
8	2	4⊡	1○	1●	1△	1●	1○	1△	1○	1×	1●	1	
9	3	2×	1○	1×	1○	1●	1△	2●	2⊡	2			
10	2	2×	3○	1×	1⊡	2●	2⊡	3					
11	1	1×	3△	1●	2○	3⊡	5						
12	2×	1○	1●	3△	2×	1⊡	6						
13	3⊡	1△	1●	1△	1○	2⊡	4×	3					
14	2	1×	1⊡	1△	1⊡	1△	2⊡	1○	4×	2			
15	1	1×	1○	2×	3⊡	4○	2⊡	2					
16	1×	4○	1⊡	2×	3△	2○	1⊡	2					
17	1●	1△	2●	2△	1×	1○	2●	1○	3△	1×	1		
18	2●	2△	1●	1○	2⊡	1○	2●	1○	2●	2○			
19	2⊡	1○	2●	2⊡	1	2●	1△	2⊡	1○	2△			
20	1	1⊡	2×	1○	3×	2⊡	1	2×	1⊡	1△	1○		
21	1	2×	4○	2⊡	4○	1×	2●						
22	1	1×	2○	4△	1⊡	1○	1△	1●	1△	1●	1×	1⊡	
23	2⊡	1●	1△	1●	1△	1○	2●	1⊡	1●	1△	2●	3⊡	
24	1⊡	2●	1△	1○	1●	1○	3	1●	1△	1●	1○	1△	1
25	2⊡	1	2●	3×	4	1○	1△	1⊡	1				
26	3	2×	2○	3⊡	6								
27	2	2×	4○	2⊡	1×	5							
28	2	1×	2○	2●	1△	1○	2⊡	1×	4				
29	2	2×	4○	2⊡	1×	5							
30	3	2●	1△	3●	1×	1○	3×	2					
31	4	2○	3×	3○	2×	2							
32	5	1×	1△	1●	1△	1●	1○	1△	2○	1×	1		
33	5	1⊡	2○	3●	1○	1△	1●	1×	1				
34	6	1⊡	2●	2△	1●	1○	3⊡						
35	7	1△	3●	1○	1⊡	1×	2						
36	9	3○	4										
37	16												
38	16												
39	16												
40	16												

ひも部分左

段							
41	8						
∫							
67	8						
68	1⊡	2	2×	1⊡	1	1⊡	
69	1⊡	2×	3○	2×			
70	2●	2○	2△	1○	1×		
71	1×	1●	2△	1○	1●	1○	1⊡
72	1×	1●	1△	2●	1△	1●	1⊡
73	1×	1●	1○	1●	1△	2●	1⊡
74	2⊡	1	3●	1	1⊡		
75	1⊡	1	1⊡	3×	2		
76	2×	3○	2×	1			
77	1×	1○	2△	2○	2●		
78	1⊡	1○	1●	1○	2△	1●	1×
79	1⊡	1●	1△	2●	1△	1●	1×
80	1⊡	2●	1△	1●	1○	1●	1×
81	1	1⊡	3●	1	2⊡		
82	8						
∫							
121	8						

ひも部分右

段							
41	8						
∫							
67	8						
68	1⊡	1	1⊡	2×	2	1⊡	
69	2×	3○	2×	1⊡			
70	1×	1○	2△	2○	2●		
71	1⊡	1○	1●	1○	2△	1●	1×
72	1⊡	1●	1△	2●	1△	1●	1×
73	1⊡	2●	1△	1●	1○	1●	1×
74	1⊡	1	3●	1	2⊡		
75	2	3×	1⊡	1	1⊡		
76	1	2×	3○	2×			
77	2●	2○	2△	1○	1×		
78	1×	1●	2△	1○	1●	1○	1⊡
79	1×	1●	1△	2●	1△	1●	1⊡
80	1×	1●	1○	1●	1△	2●	1⊡
81	2⊡	1	3●	1⊡	1		
82	8						
∫							
121	8						

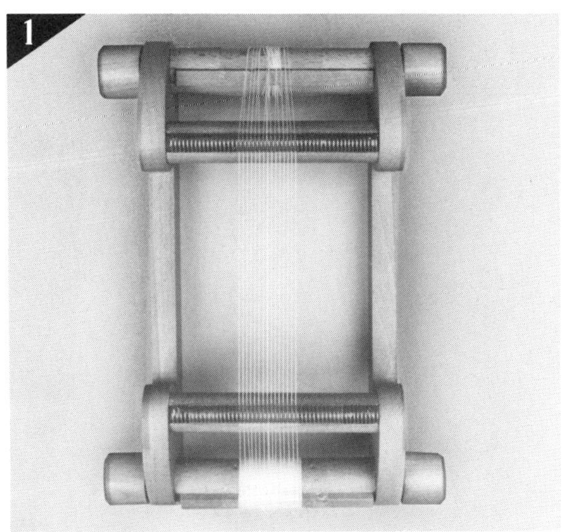

80cmのタテ糸を18本作り、中央2本どりでタテ糸17本張ります。

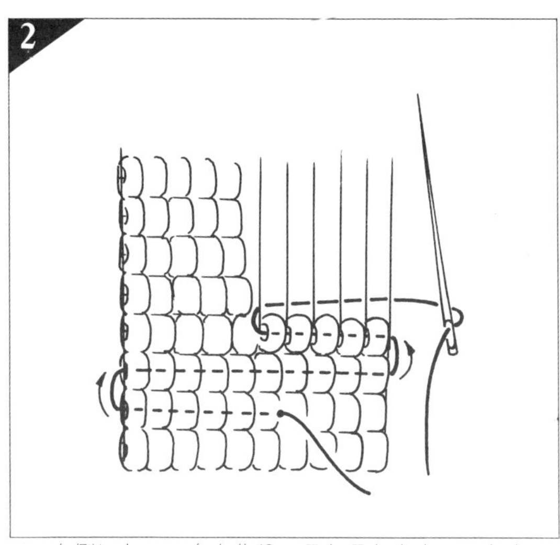

右側にもヨコ糸を作り、それぞれ左右のひもを織ります。

スプリング棒を下にまわし、シートを巻きとりながら左右のひもを織ります。

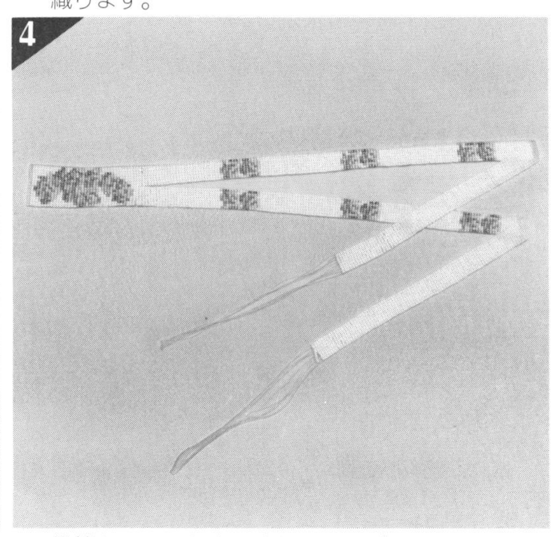

織機からシートをはずし、ペンダント部分はP.41写真**13**を参照して糸始末をします。

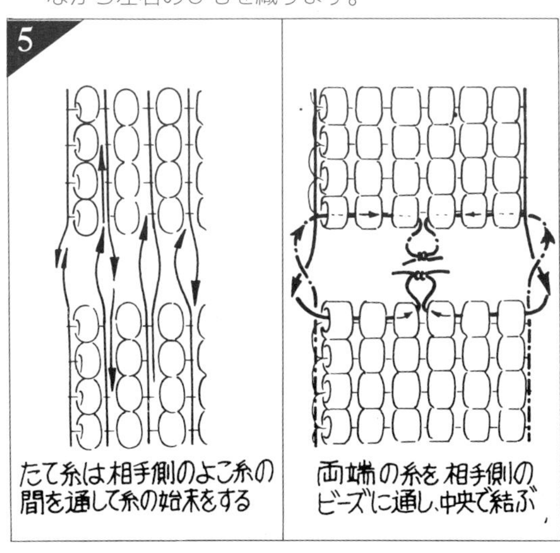

両方のひもをつき合わせて、それぞれ片方のシートにタテ糸を入れてつなぎます。

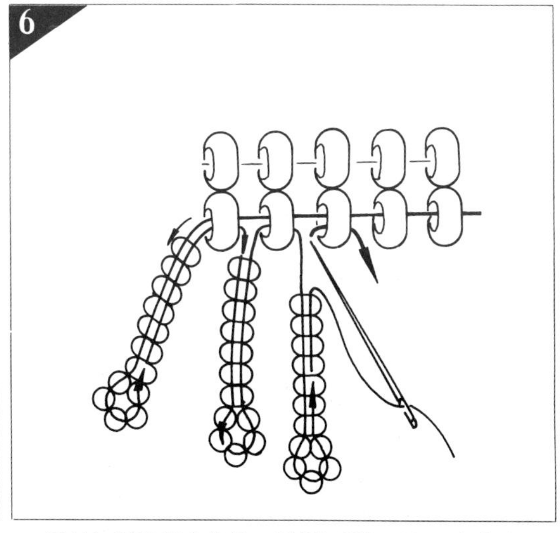

フリンジを17本作り、最初に残しておいた糸と2度結び糸始末をします。

ラクダ（ブローチ）

11ページ

●ポイント

少し幅の広いブローチを衿元につけるとブラウスも引き締まります。またブレザーのポケットなどにエンブレム風に、おしゃれを工夫してみましょう。裾はゆるいカーブをつけて優しくフリンジをたくさんつけて楽しい動きを出します。

●材料

ビーズ…紺(DB−2)6g　ニッケル(A−711)3g 本金(DB−31)3g

糸…黒50m巻、ブローチ金具…ゴールド1コ

●目数と段数　31目×36段

●タテ糸の本数　32本

目数表の見方

29段から減目になります。○囲みの数字は減目の表示です。

□ ＝ 紺（DB−2）
⊡ ＝ 本金（DB−31）
☒ ＝ ニッケル（A−711）

図　案

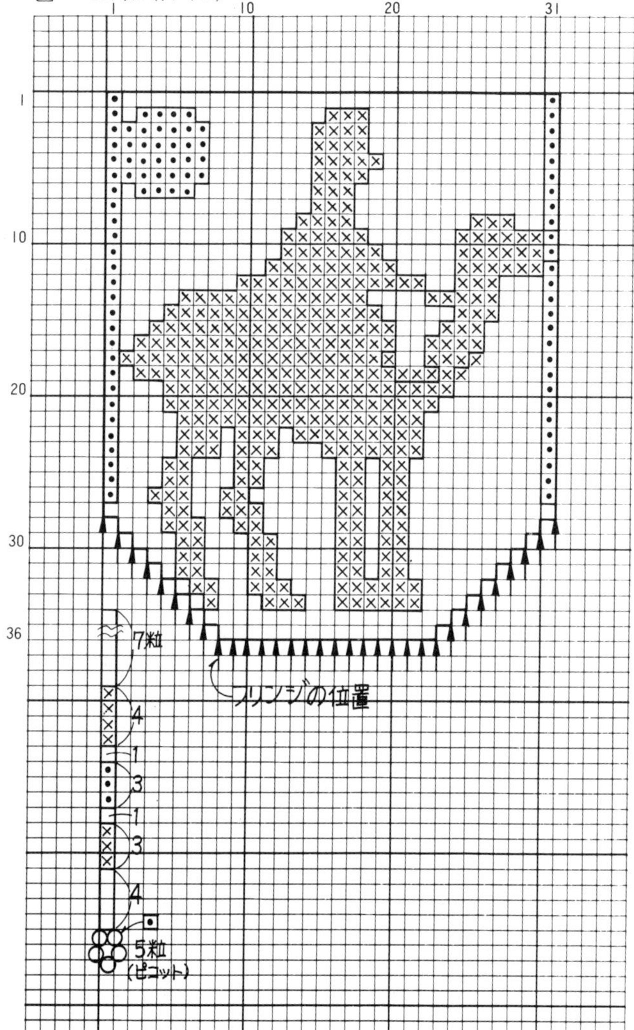

目数表

段											
1	1●	29	1●								
2	1●	1	4●	9	3×	12	1●				
3	7●	7	4×	12	1●						
4	7●	7	4×	12	1●						
5	7●	7	5×	11	1●						
6	7●	7	4×	12	1●						
7	1●	1	4●	8	3×	13	1●				
8	1●	13	3×	13	1●						
9	1●	12	4×	8	3×	2	1●				
10	1●	11	6×	6	6×	1●					
11	1●	11	7×	5	6×	1●					
12	1●	10	9×	4	6×	1●					
13	1●	8	13×	2	3×	3	1●				
14	1●	4	13×	4	5×	3	1●				
15	1●	3	15×	5	3×	3	1●				
16	1●	2	17×	3	3×	4	1●				
17	1●	1	18×	2	4×	4	1●				
18	1●	19×	2	4×	4	1●					
19	1●	1	23×	5	1●						
20	1●	3	20×	6	1●						
21	1●	3	19×	7	1●						
22	1●	4	17×	8	1●						
23	1●	4	3×	1	3×	1	9×	8	1●		
24	1●	4	3×	1	3×	3	7×	8	1●		
25	1●	3	2×	3	2×	5	2×	1	2×	9	1●
26	1●	3	2×	3	2×	5	2×	1	2×	9	1●
27	1●	2	3×	2	2×	6	2×	1	2×	9	1●
28	4	2×	2	3×	5	2×	1	2×	10		
29	①	3	3×	2	2×	5	2×	1	2×	9	①
30	②	3	2×	3	2×	4	2×	1	2×	8	②
31	③	2	2×	3	2×	4	2×	1	2×	7	③
32	④	1	2×	3	2×	4	2×	1	2×	6	④
33	⑤	1	2×	2	3×	3	6×	4	⑤		
34	⑥	1	1×	3	3×	2	6×	3	⑥		
35	⑦	17	⑦								
36	⑧	15	⑧								

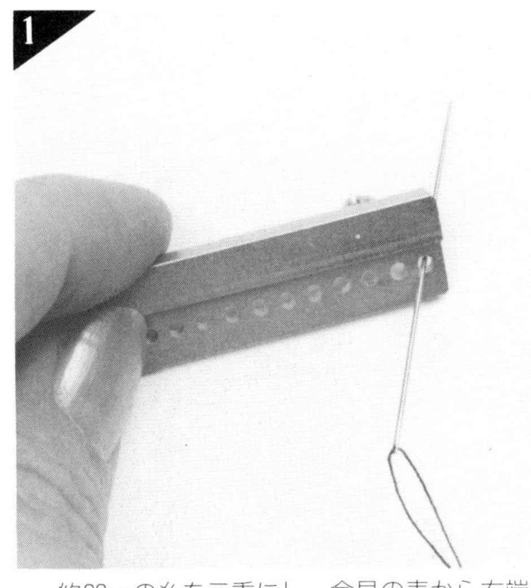

約60cmの糸を二重にし、金具の表から右端の穴に通して、糸端は10cm残しておきます。

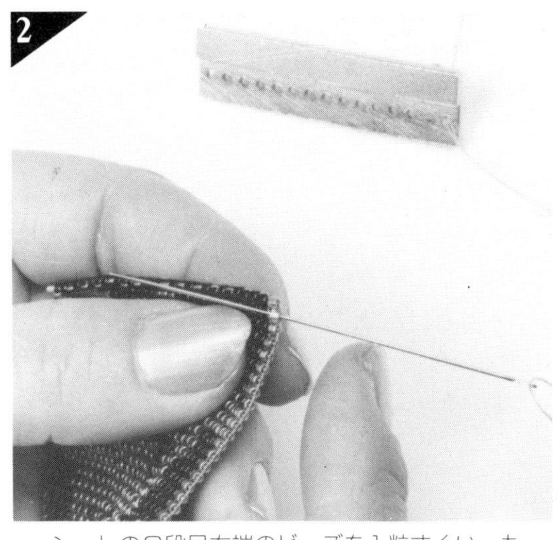

シートの2段目右端のビーズを1粒すくい、もう1度同じ穴に出します。

金具の二つ目の穴に入りシートに出てまた2粒ビーズをすすみます。

左端までとじたら、逆に右端までとじて戻ります。

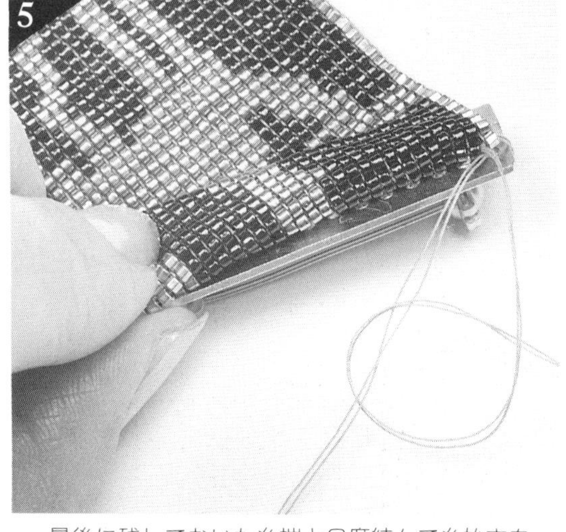

最後に残しておいた糸端と2度結んで糸始末をします。

バラ（ベルト）

23ページ

●材料

ビーズ…ニッケル（A-711）20g　本金（A-712）15g

本金（DB－35）13g

糸…グレー50m巻2コ　バックル2cmゴールド

●目数と段数　15目×435段（ウエスト寸法＋バックル取りつけ分）

●タテ糸の寸法　100cm×38本

（ウエスト寸法＋30cm＋バックルとり付け分4cm）

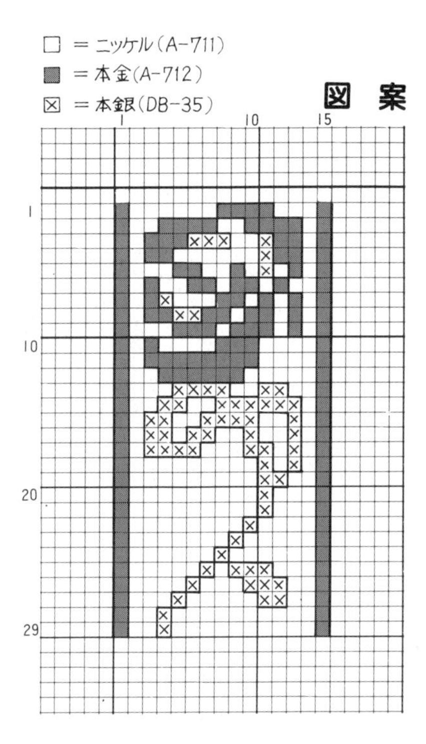

目数表

無印＝ニッケル（A－711）
●＝本金（A－712）
×＝本銀（DB－35）

1	1●	6	4●	3	1●							
2	1●	2	4●	2	4●	1	1●					
3	1●	1	3●	3×	2	1×	2●	1	1●			
4	1●	1	2●	6	1×	2●	1	1●				
5	1●	3	2●	2	1●	1	1×	1	1●	1	1●	
6	1●	1	1●	2	2●	1	2●	1	1●	2	1●	
7	1●	1	1●	1×	3	2●	1	1●	1	1●	1	1●
8	1●	1	2●	2×	2●	1	2●	1	1●	1	1●	
9	1●	3	3●	1	3●	1	1●	1	1●			
10	1●	1	1●	4	3●	4	1●					
11	1●	1	8●	4	1●							
12	1●	2	6●	5	1●							
13	1●	3	4×	2	2×	2	1●					
14	1●	2	2×	2	6×	1	1●					
15	1●	1	2×	2	4×	2	1×	1	1●			
16	1●	1	2×	1	2×	2	1×	2	1×	1	1●	
17	1●	1	4×	3	2×	1	1×	1	1●			
18	1●	9	1×	1	1×	1	1●					
19	1●	9	2×	2	1●							
20	1●	9	1×	3	1●							
21	1●	9	1×	3	1●							
22	1●	8	1×	4	1●							
23	1●	7	1×	5	1●							
24	1●	6	1×	6	1●							
25	1●	5	1×	1	3×	3	1●					
26	1●	4	1×	3	3×	2	1●					
27	1●	3	1×	5	2×	2	1●					
28	1●	2	1×	10	1●							
29	1●	2	1×	10	1●							

板または厚紙で幅5cm長さ50cmの定規を作り、
50cmの定規を1回りして1mの糸を38本切る。

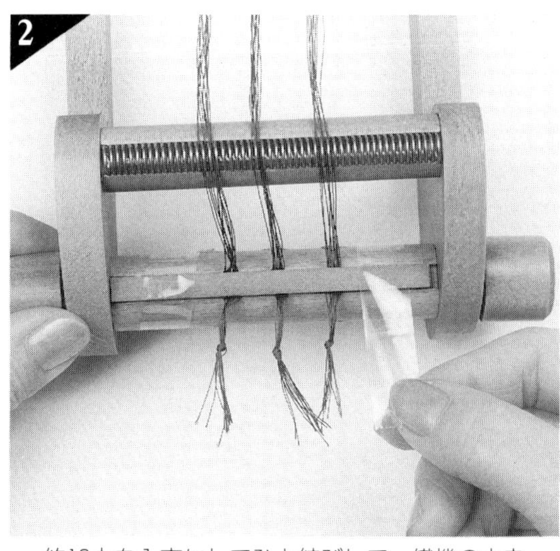

約10本を1束にしてひと結びして、織機の中央
に糸を置き押え棒で固定し、テープで止めます。

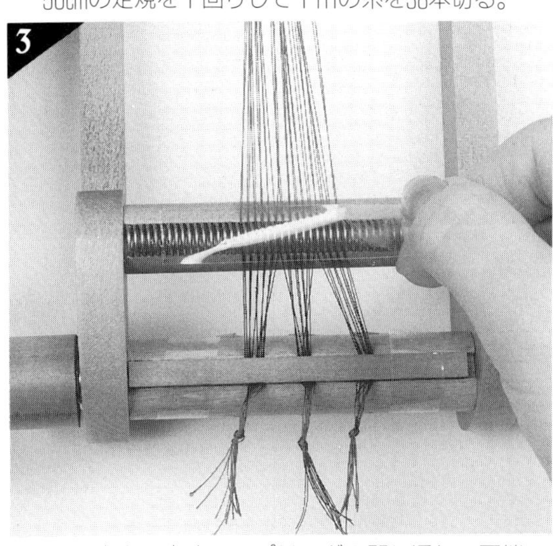

タテ糸を2本ずつスプリングの間に通し、両端
3ヵ所は3本ずつ入れてテープで止めます。

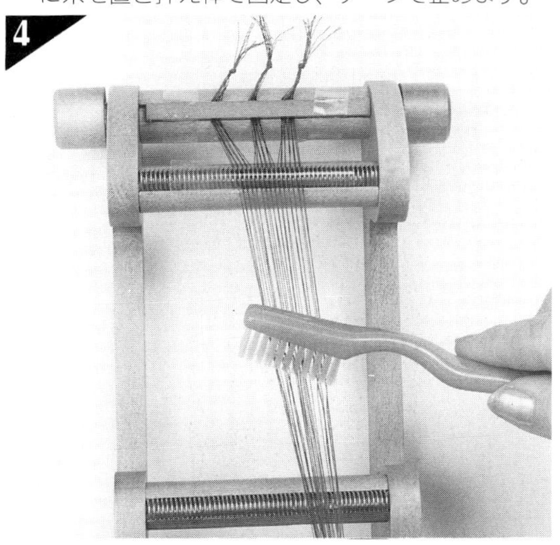

ブラシでとかし、糸のもつれをなくします。

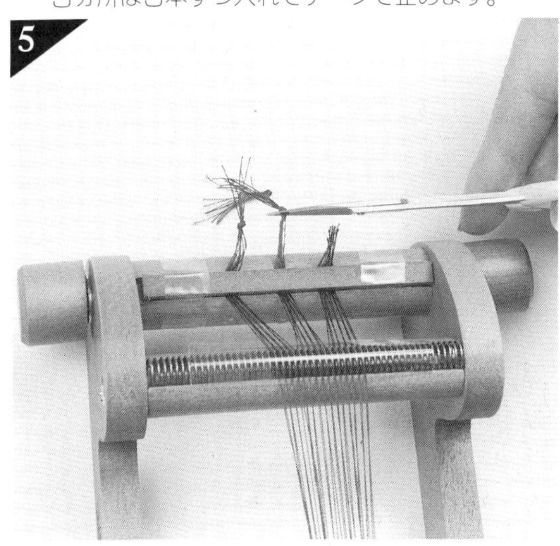

糸こぶを切ります。

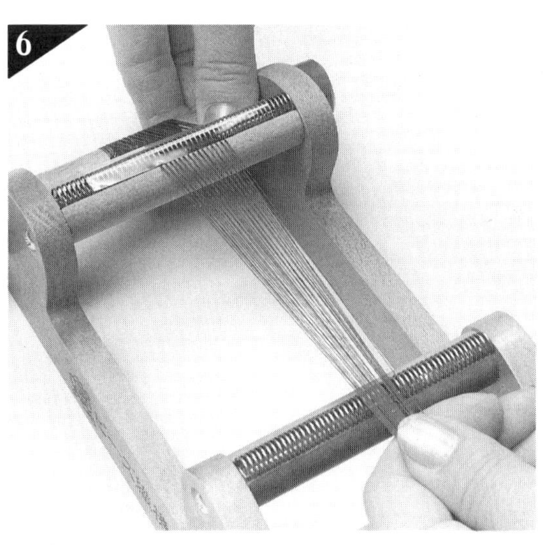

向う側の巻き棒にタテ糸を巻きとります。

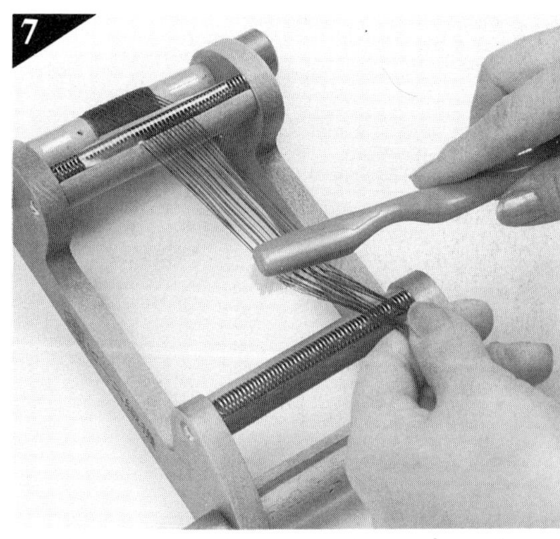

ブラシで糸をよくとかして手前のスプリングの間に糸を張ります。

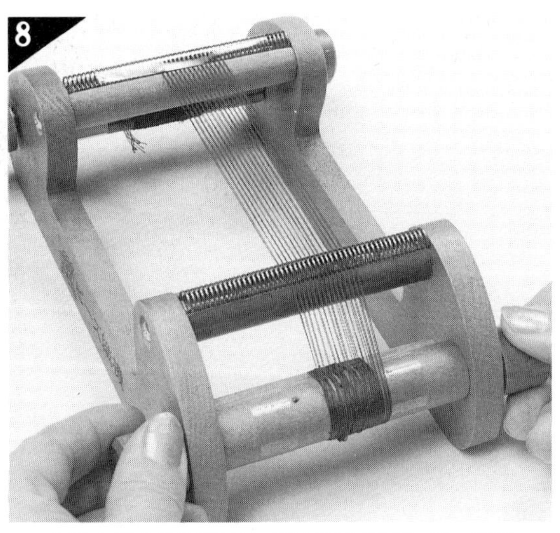

糸端を押え棒で押え、押え棒を固定して、巻棒に1回半巻きとります。

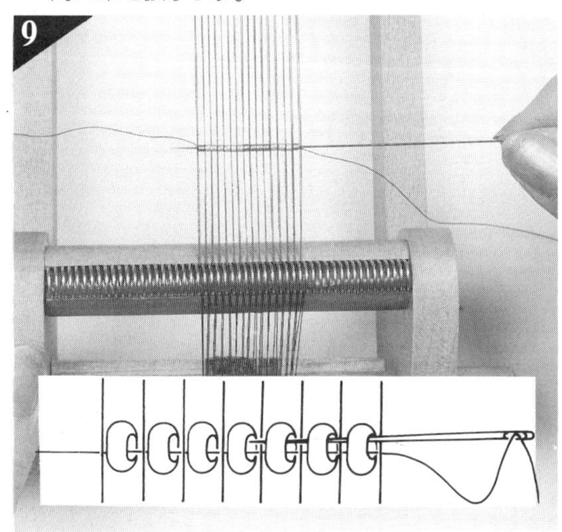

ヨコ糸を用意して1段目を織ります。タテ糸の上からビーズの穴を右から左に戻ります。

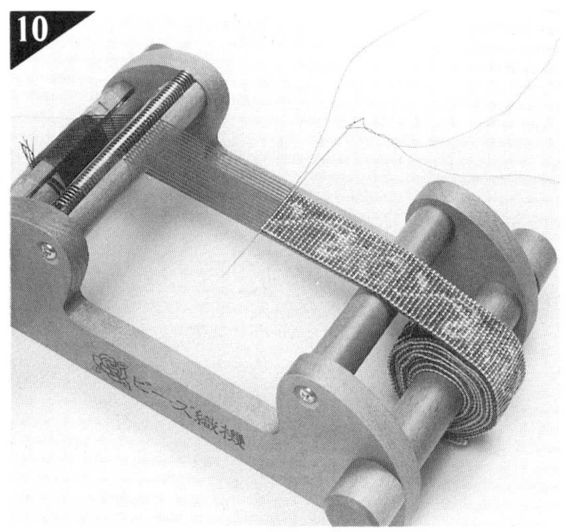

織ったシートを巻棒に巻き取りながら織りすすみます。

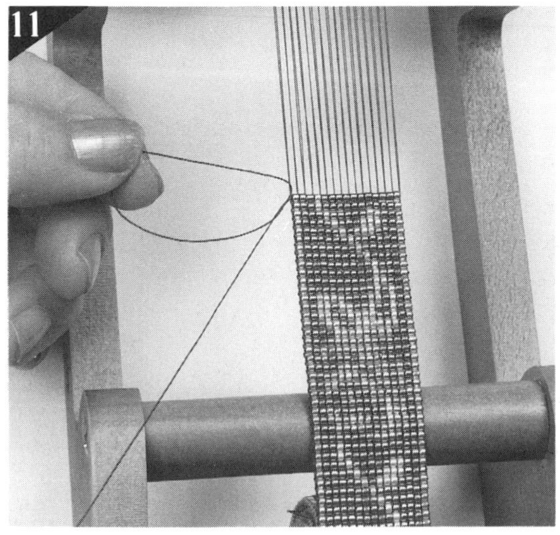

織り終ったらヨコ糸を左端に結びます。

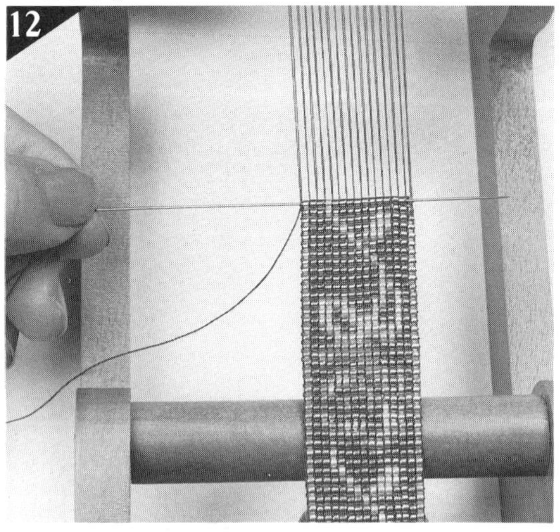

ビーズの中にヨコ糸の始末をして、ヨコ糸を切ります。

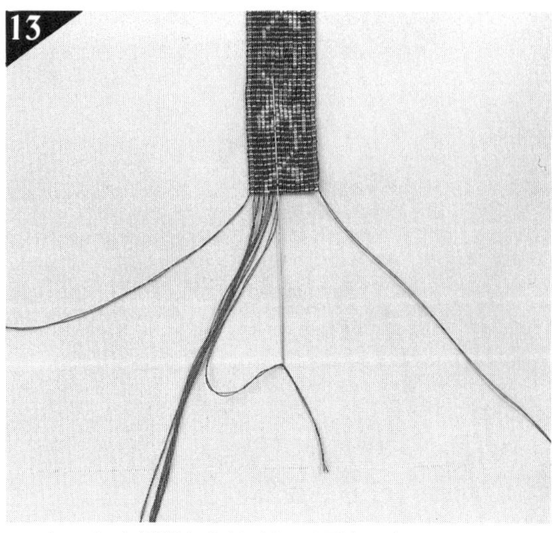

シートを織機からはずし、両端の糸はそのまま
残してタテ糸をシートの中に糸始末をします。

2段目からヨコ糸をすくい約5cm糸始末し ヨ
のビーズの中を通して切ります。

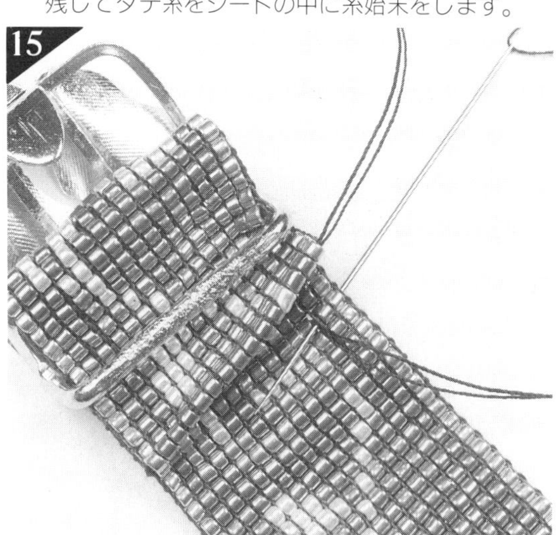

シートの先をバックルに通し、糸2本どりで3
粒目から入り、上と下のシートをとじます。

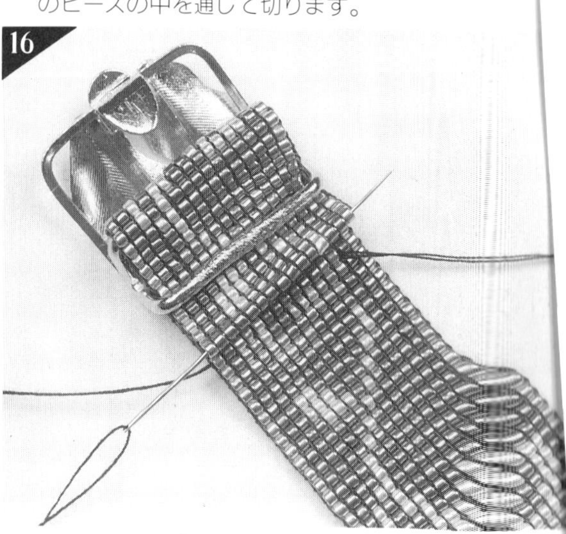

ビーズを2粒ずつ上下交互にすすんで左端まで
とじたら、また右端までもどります。

ポイント

タテ糸の始末
ヨコ糸を5cmくらいすくって、ヨコのビーズを通して糸を切ります。

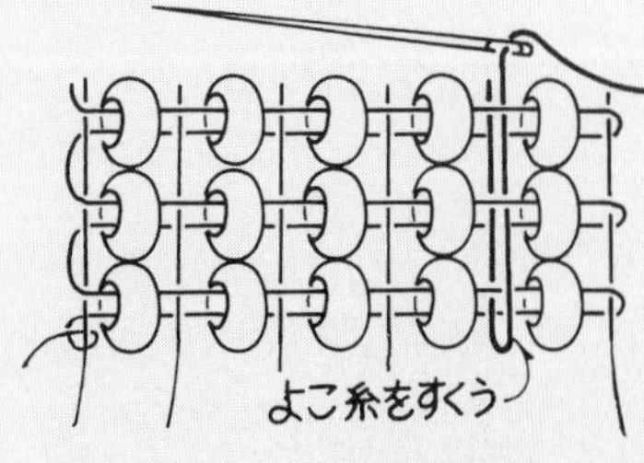

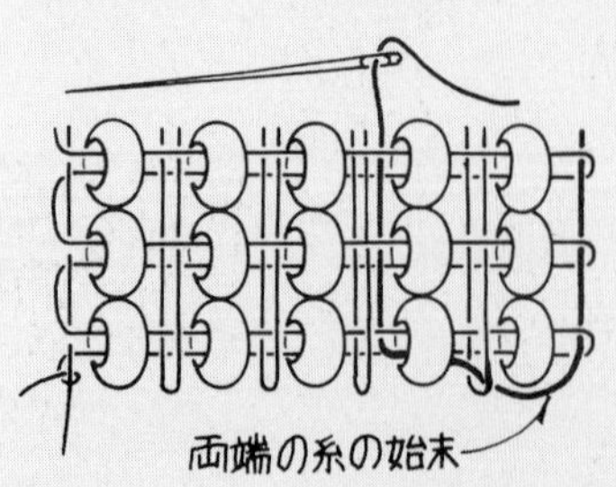

バックルのつけ方

30cmの糸を2本どり
A
B
とじ始め
とじ終わり

紗綾形（パーティバッグ）

22ページ

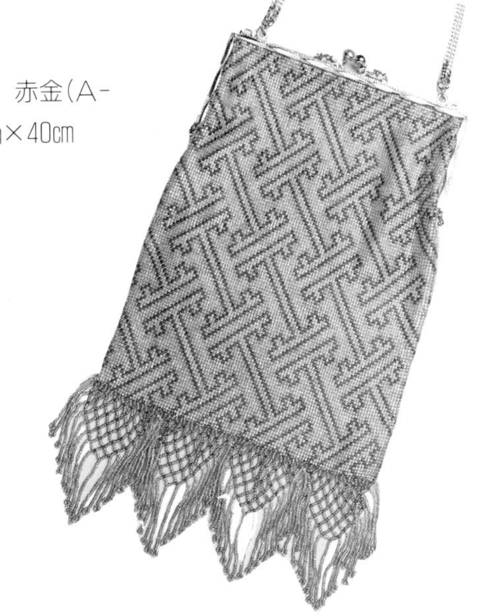

●材料

ビーズ…本銀(DB-35)100g　焦金(DB-22)30g　赤金(A-502)30g　糸…グレー500m巻　裏地サテン白30cm×40cm　口金ゴールド13cm　クサリ1m

●目数と段数　110目×115段

●糸の長さ90cm　糸の本数111本

目数表の見方

ヨコ列の目数は（1回織る）、（この列は4回くりかえして織る）、（1回織る）の表示どおり織ると計110目になります。

タテは1段から26段を4回くりかえし、1段から11段まで織ります。11段目を中心に10段から1段までもどり、26段から1段を4回くりかえして織ると、表、裏つづきで1枚のシートができます。

目数表

	（1回織る）			（この列は4回くりかえして織る）																			（1回織る）			
1	2			1×	1●	3	1●	1×	3	1×	1●	3	1●	3	1●	1×	5						1×	1●	2	
2	3			1×	1●	3	1●	1×	3	1×	1●	5	1●	1×	7								1×	1●	1	
3	4			1×	1●	3	1●	1×	3	1×	1●	3	1●	1×	3	1×	5						1×	1●		
4	3			1×	1●	5	1●	1×	3	1×	1●	3	1●	1×	1	1×	1●	1×	3				1×	1●	1	
5	1×	1		1×	1●	3	1●	3	1●	1×	3	1×	1●	3	1●	1×	1●	1	1●	1×	1		1×	1●	2	
6	1●	1×		1	1×	1●	1	1●	1×	1●	3	1●	1×	3	1×	1●	3	1●	3	1●	1×		1	1×	1●	1
7	1×			3	1×	1●	1×	1	1×	1●	3	1●	1×	3	1×	1●	5	1●	1×				3	1×	1●	
8				5	1×	3	1×	1●	3	1●	1×	3	1×	1●	3	1●	1×						5	1×		
9	1×			7	1×	1●	5	1●	1×	3	1×	1●	3	1●	1×								5			
10				1●	1×	5	1×	1●	3	1●	3	1●	1×	3	1×	1●	3						1●	1×	4	
11				1×	5	1×	1●	3	1●	1×	1●	3	1●	1×	3	1×	1●	1	1●				1×	5		
12				5	1×	1●	3	1●	1×	1	1×	1●	3	1●	1×	3	1×	1●	1×				5	1×		
13	4			1×	1●	3	1●	1×	3	1×	1●	3	1●	1×	3	1×	5						1×	1●		
14	3			1×	1●	3	1●	1×	3	1×	1●	5	1●	1×	7								1×	1●	1	
15	2			1×	1●	3	1●	1×	3	1×	1●	3	1●	3	1●	1×	5						1×	1●	2	
16	1			1×	1●	3	1●	1×	5	1×	1●	1	1●	1×	1●	1	1●	1×	5				1×	1●	3	
17				1×	1●	3	1●	1×	7	1×	1●	1×	1	1×	1●	1×	5						1×	1●	3	1●
18				1●	3	1●	1×	9	1×	3	1×	5	1×										1●	3	1●	1×
19				3	1●	1×	5	1×	3	1×	9	1×	1●										3	1●	1×	1
20	2			1●	1×	5	1×	1●	1×	1	1×	1●	1×	7	1×	1●	3						1●	1×	2	
21	1			1●	1×	5	1×	1●	1	1●	1×	1●	1	1●	1×	5	1×	1●	3				1●	1×	3	
22				1●	1×	5	1×	1●	3	1●	3	1●	1×	3	1×	1●	3						1●	1×	4	
23				1×	7	1×	1●	5	1●	1×	3	1×	1●	3	1●								1×	5		
24				5	1×	3	1×	1●	3	1●	1×	3	1×	1●	3	1●	1×						5	1×		
25	4			1×	1●	1×	3	1×	1●	3	1●	1×	1	1×	1●	3	1●	1×	5				1×	1●	1●	
26	3			1×	1●	1	1●	1×	3	1×	1●	3	1●	1×	1●	3	1●	1×	5				1×	1●		

□ = 本銀(DB-35)
☒ = 焦金(DB-22)
▣ = 赤金(A-502)

図 案

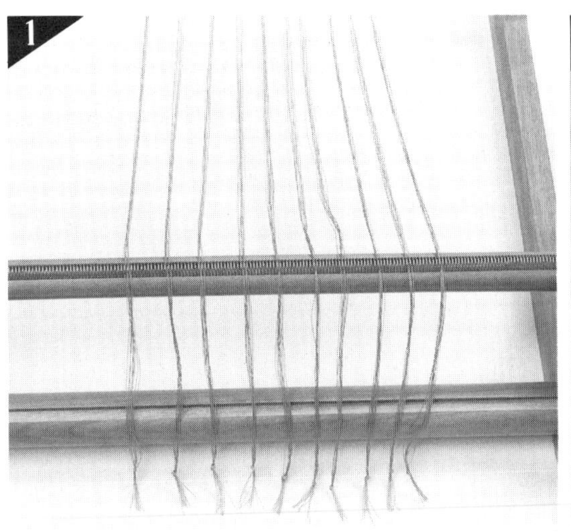

90㎝111本のタテ糸を10本ずつくらいまとめて結び、１㎝間隔に並べます。

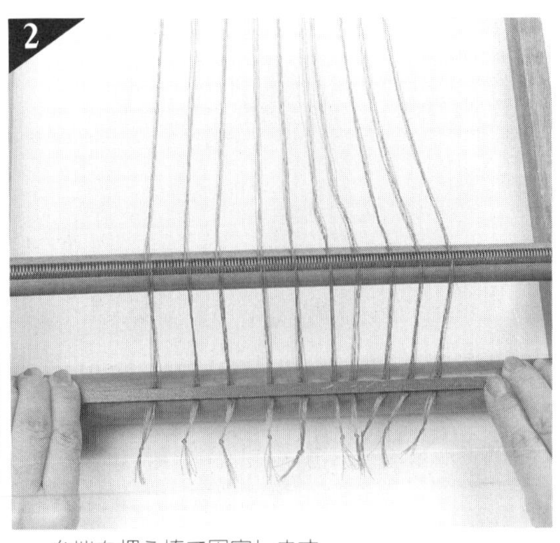

糸端を押え棒で固定します。

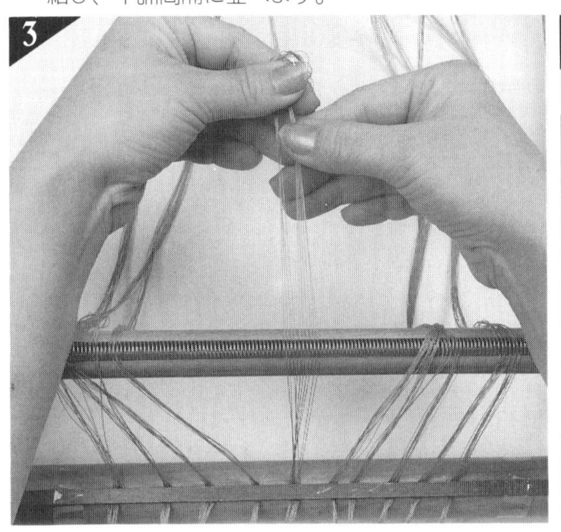

タテ糸を１本ずつスプリングの間にきれいに入れていきます。

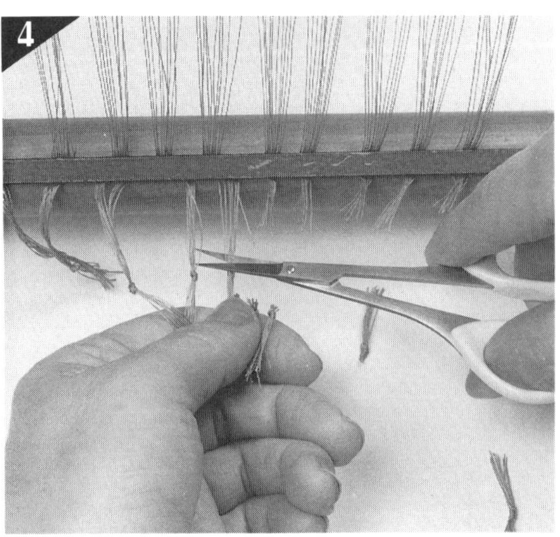

タテ糸が浮き上がらないようスプリングの上にセロハンテープを張り、結び目を切ります。

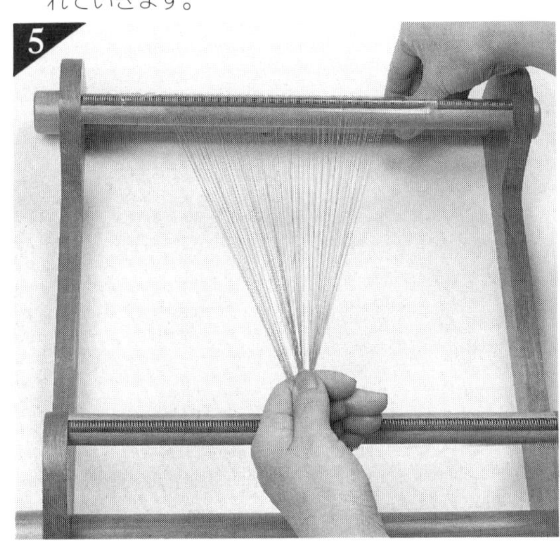

巻き棒に糸を巻きとります。

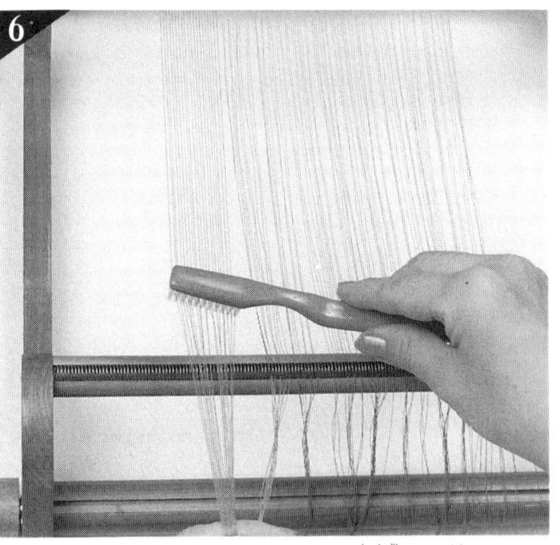

糸を歯ブラシではきながらもち上げ、手前のスプリングの間に１本ずつ入れます。

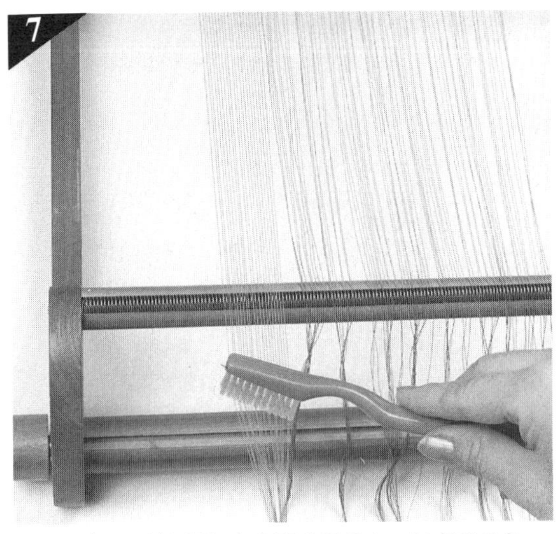

スプリングに通したら下のほうも、はきそろえておきます。

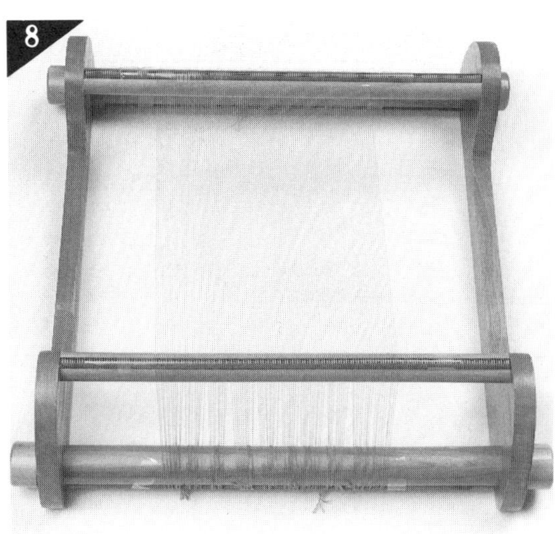

糸端を押え棒で固定してセロハンテープを左右に張り、糸を手前に1回半巻きとります。

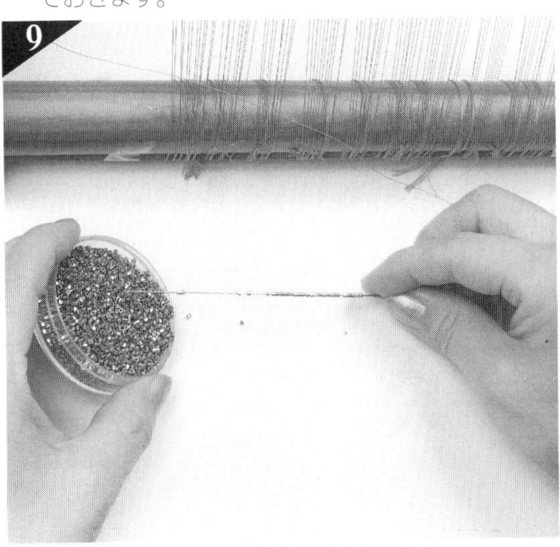

ビーズを目数どおり針先ですくいます。

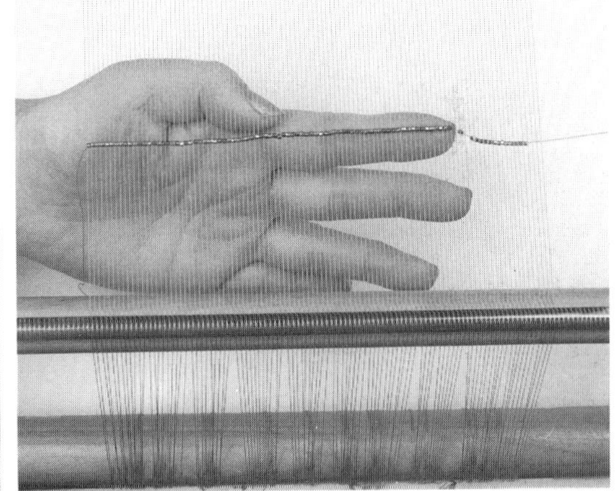

タテ糸の下からビーズを1粒ずつタテ糸の間にはさみ込みます。

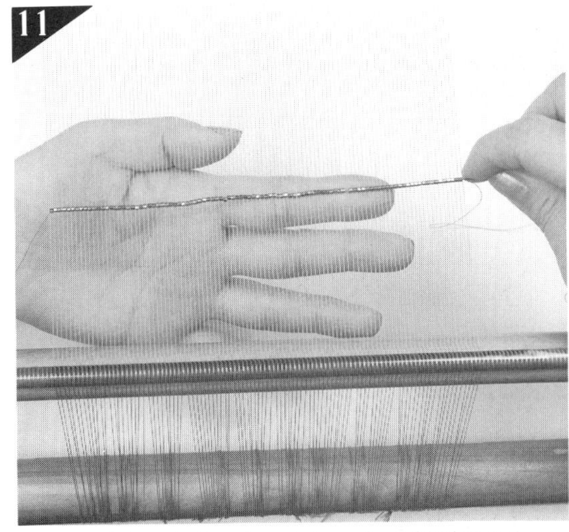

タテ糸の上から、右から左へビーズの中を通します。

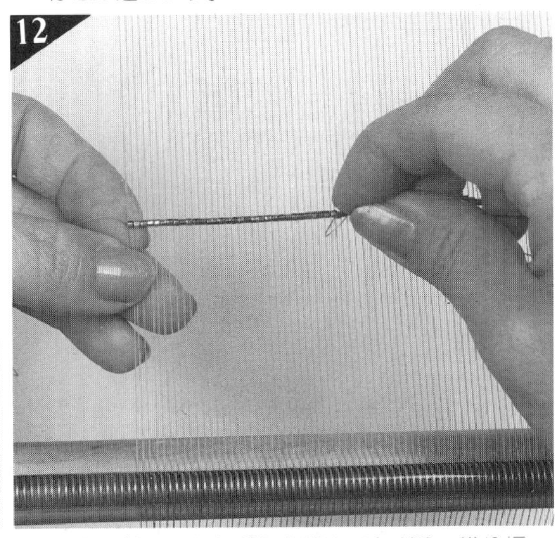

途中で針をぬきながら左端までもどり、織り幅を一定に保ちながら織りすすみます。

タテ糸の始末

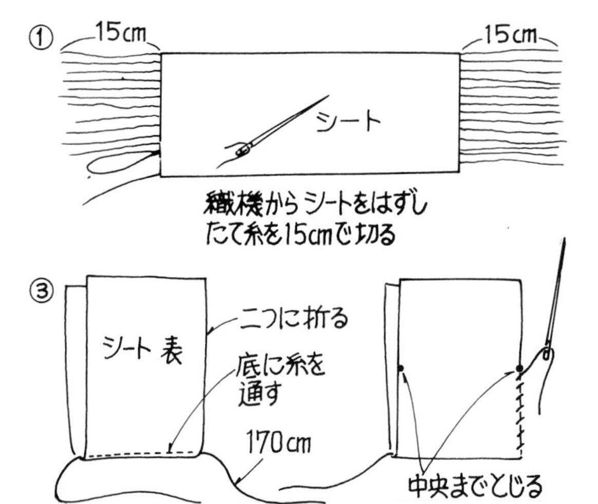

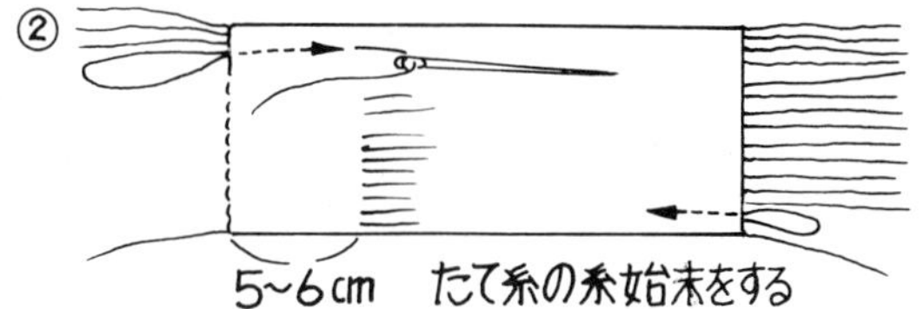

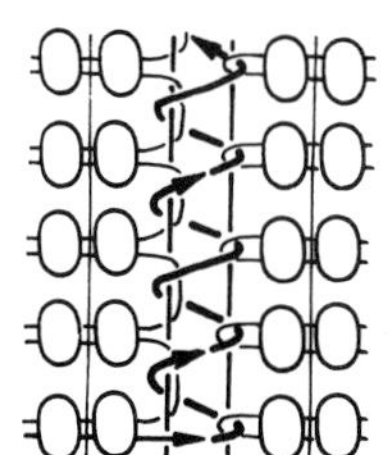

フリンジをつける

シートを二つに折り、脇とじをして底にフリンジをつけます。

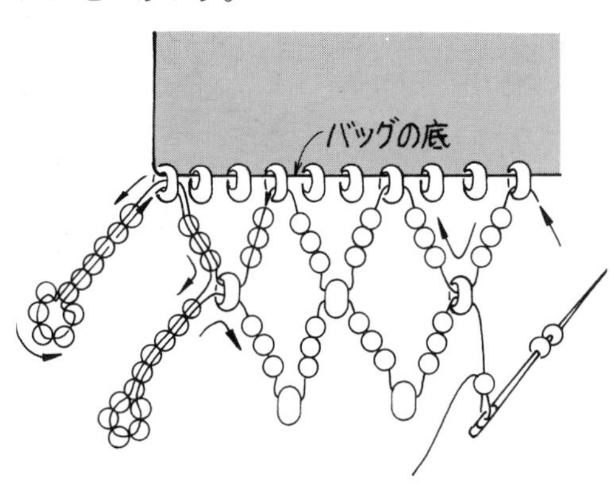

内袋の作り方

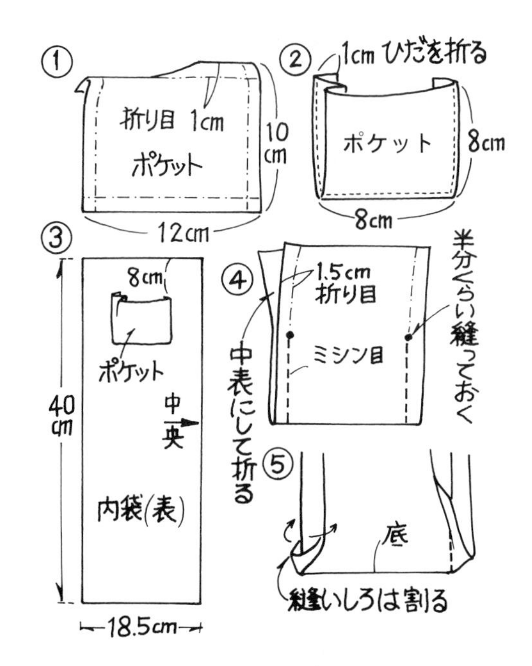

①でき上がりのシートの寸法を計る。
②ポケットを作り縫いつけておく。
③ポケットを内側にして内袋を縫う。

口金のつけ方

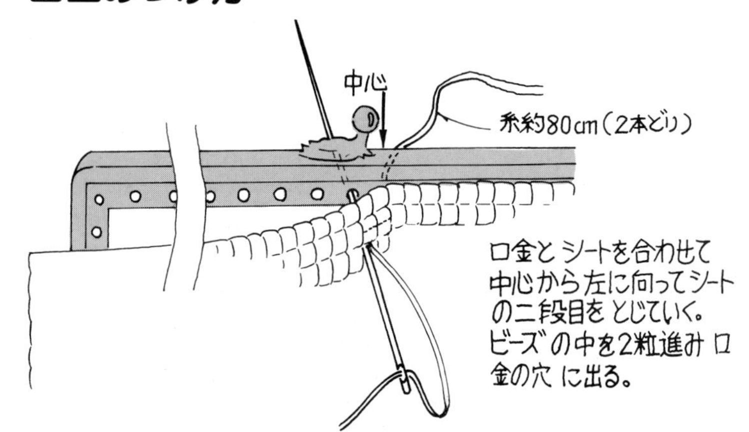

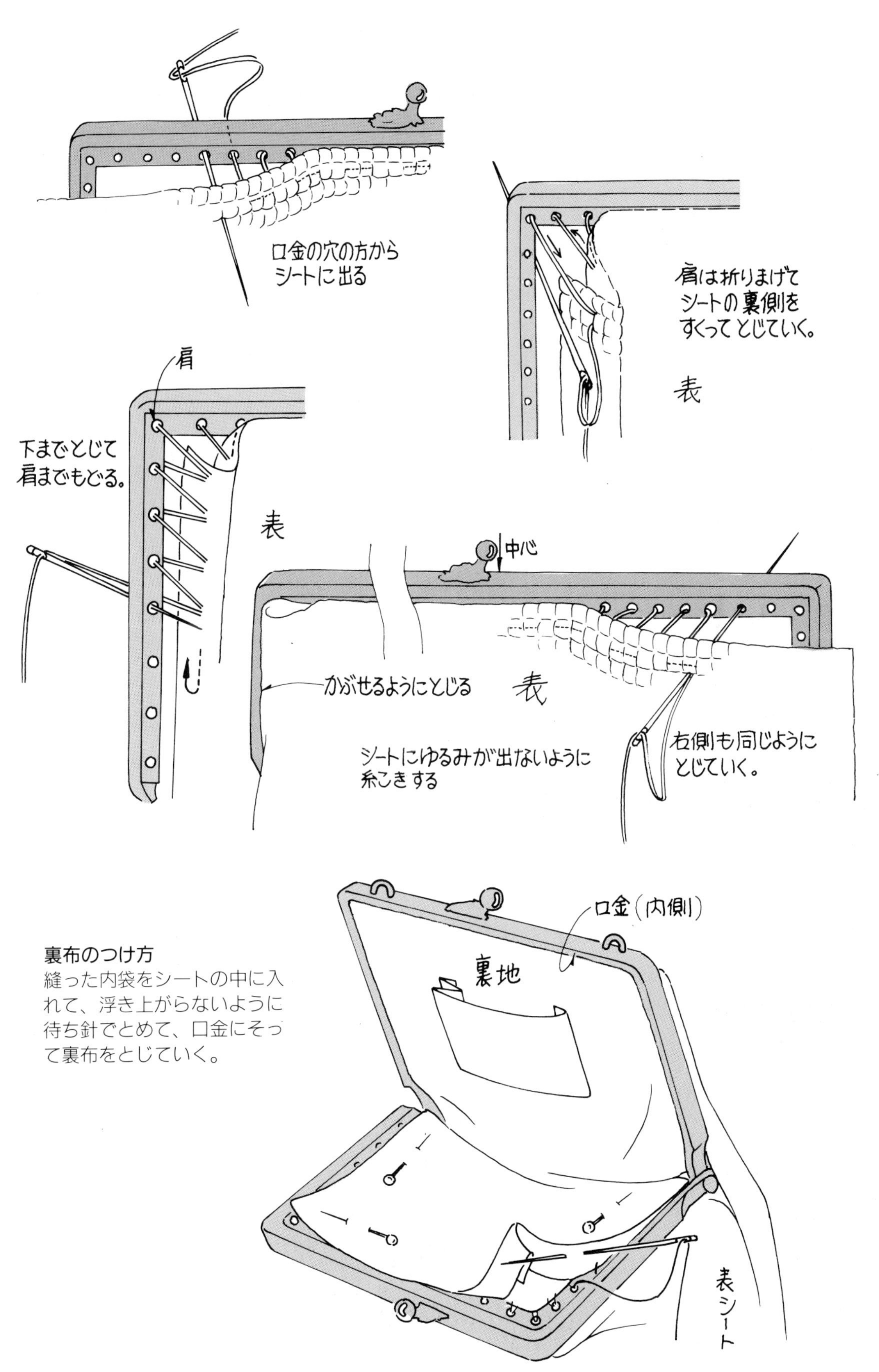

裏布のつけ方

縫った内袋をシートの中に入れて、浮き上がらないように待ち針でとめて、口金にそって裏布をとじていく。

カトレア（ブローチ）————10ページ

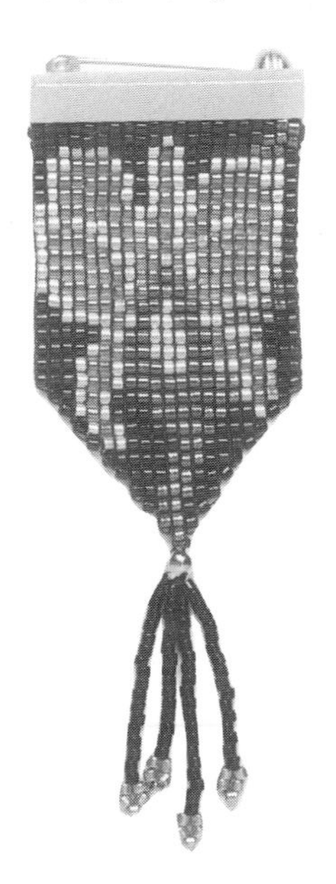

●**材料** ビーズ…黒（A-49）3g　グリーン（A-507）1g　赤金（DB-12）1g　本金（DB-31）1g　紫（DB-74）2g　糸…黒50m巻　ブローチ金具3cmゴールド１コ　ボールチップゴールド１コ

●**目数と段数** 21目×28段

●**タテ糸の本数** 22本

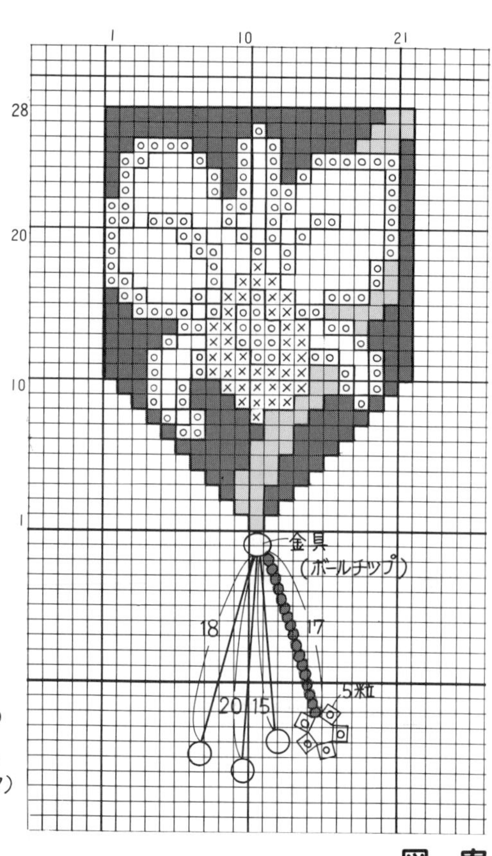

■＝黒（A-49）
◎＝本金（DB-31）
□＝紫（DB-74）
⊠＝赤金（DB-12）
▒＝グリーン（A-507）

図案

花車（ブローチ）————11ページ

●**材料**

ビーズ…本銀（DB-35）4g　本金（A-712）4g　黄緑（DB-60）1g　グリーン（DB-27）1g　赤（DB-62）1g　ピンク（A-145）1g　糸…グレー50m巻　ブローチピン4.5cmゴールド

●**目数と段数** 31目×31段

●**タテ糸の本数** 32本

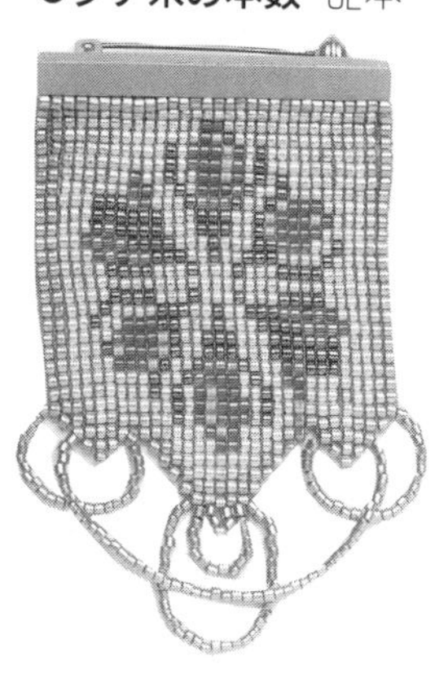

1　10　20　31

25粒
25
5粒
15
50粒
35

□＝本銀（DB-35）
▒＝本金（A-712）
■＝黄緑（DB-60）
◉＝グリーン（DB-27）
▨＝赤（DB-62）
△＝ピンク（A-145）

図案

チューリップ（ブローチ イヤリング）

10ページ

●材料

ビーズ…赤（DB-62）2g　黄緑（DB-60）　グリーン（DB-27）グリーン（A-508）金（DB-42）銀（DB-41）各1g　糸…グレー50m　ブローチカブトピン1コ　イヤリング　金具ゴールド1組

●目数と段数　9目×32段（ブローチ）
9目×11段（イヤリング）

●タテ糸の本数　10本（イヤリング・ブローチ）

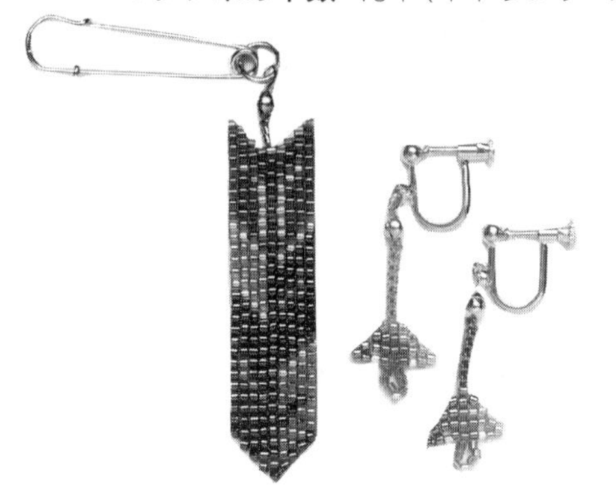

1　9　1　9
30
20
10
1

■＝赤（DB-62）
◪＝黄緑（DB-60）
☒＝グリーン（DB-27）
■＝グリーン（A-508）
□＝銀（DB-41）
◎＝金（DB-42）

ユリ（ペンダント）

10ページ

●材料

ビーズ…黒つや消し（DB-310）3g
グリーンつや消し（DB-324）2g
本銀（DB-35）1g
糸…黒50m巻

●目数と段数　21目×28段

●タテ糸の本数　22本

つや消しの黒とつや消しのグリーンを使ってしっとり落着いた雰囲気のペンダントです。先の方を減目でだんだん細くした型がしゃれています。
シートの中心からひも付けをしているので、胸もとで安定します。簡単な図案でも色の工夫などで素敵な作品になります。

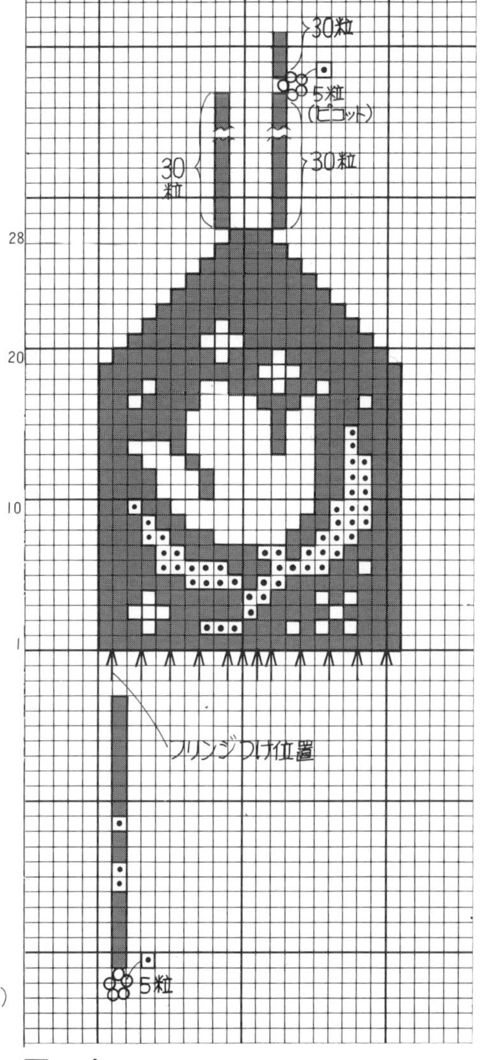

■＝黒つや消し（DB－310）
⊡＝グリーンつや消し（DB－324）
□＝本銀（DB－35）

図　案

リーフ（ペンダント）――――――12ページ

●材料
ビーズ…紫（A-504）4g
うす紫（A-425）5g
ニッケル（DB-21）4g
糸…グレー50m巻
クサリセットシルバー
●目数と段数 15目×30段
●タテ糸の本数 16本

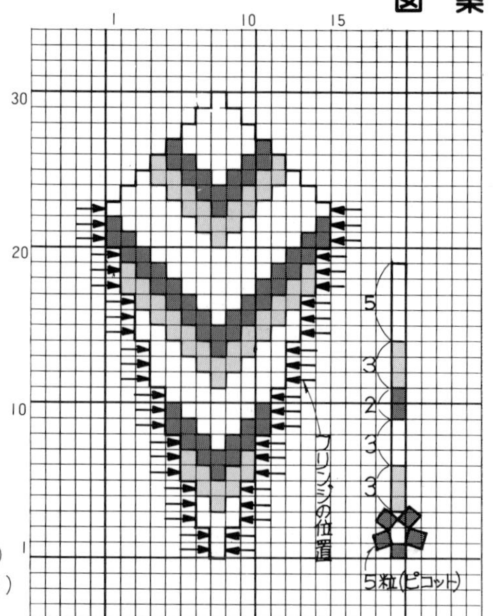

□＝うす紫（A-425）
■＝ニッケル（DB-21）
▒＝紫（A-504）

ハート（ブローチ イヤリング）――――――10ページ

●材料
ビーズ…黒（A-49）4g　水色（DB-57）2g
糸…黒50m巻　ブローチカブトピン　イヤリング金具ゴールド1組
●目数と段数 19目×19段　13目×13段（ブローチ）
11目×11段（イヤリング）
●タテ糸の本数 20本、14本（ブローチ）
12本（イヤリング）

ペンダントは大小の菱形を織ってフリンジでつなぎます。仕上げはシートの先にボールチップをつけて、フリンジは矢印に向ってシートの中を通してつけます。

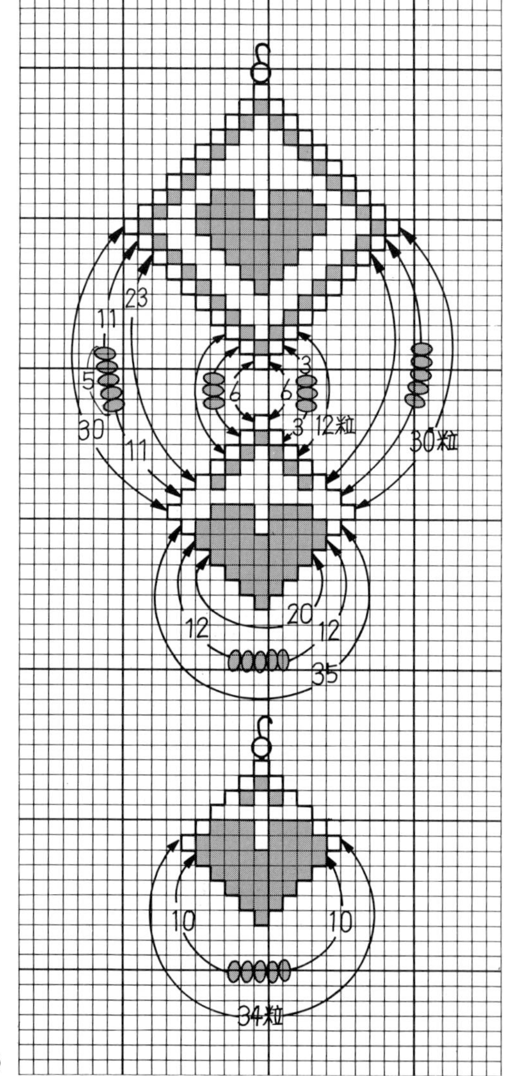

□＝黒（A-49）
▒＝水色（DB-57）

ラディッシュ（ブローチ イヤリング）——10ページ

●材料　ビーズ…赤（A-332）2g　その他各1g
糸…グレー50m巻　ブローチカブトピン1コ　イヤリング金具ゴールド1組
●目数と段数　12目×20段（ブローチ）
9目×8段（イヤリング）
●タテ糸の本数　21本（ブローチ）　9本（イヤリング）

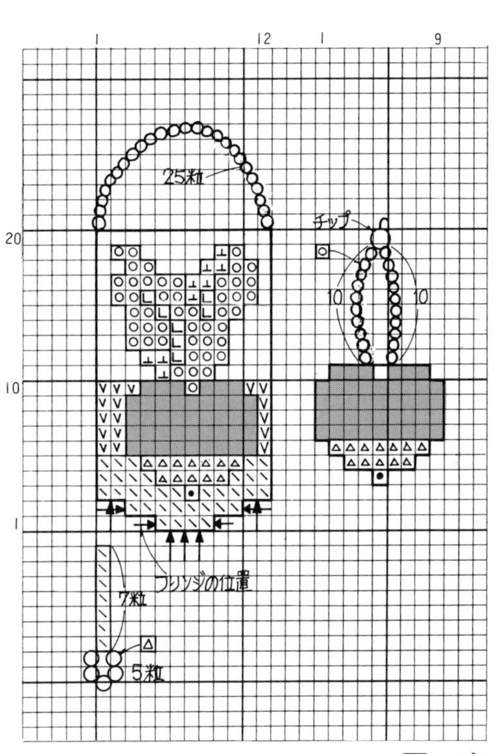

図　案

星（ペンダント）——6ページ

●材料
ビーズ…黒（A-49）5g
金（DB-42）3g
糸…黒50m巻　金具セット
●目数と段数
25目×26段（大）
18目×18段（小）
●タテ糸の本数
26本（大）
19本（小）

ポイント
①大1コ、小2コの星を並べて2本の糸を通す。
②糸にビーズを通し、糸によりをかけて金具をつける。

図　案

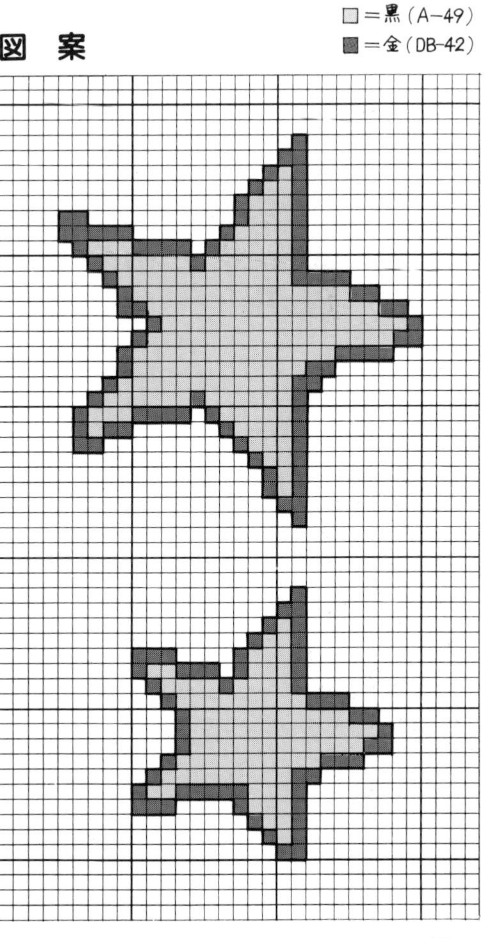

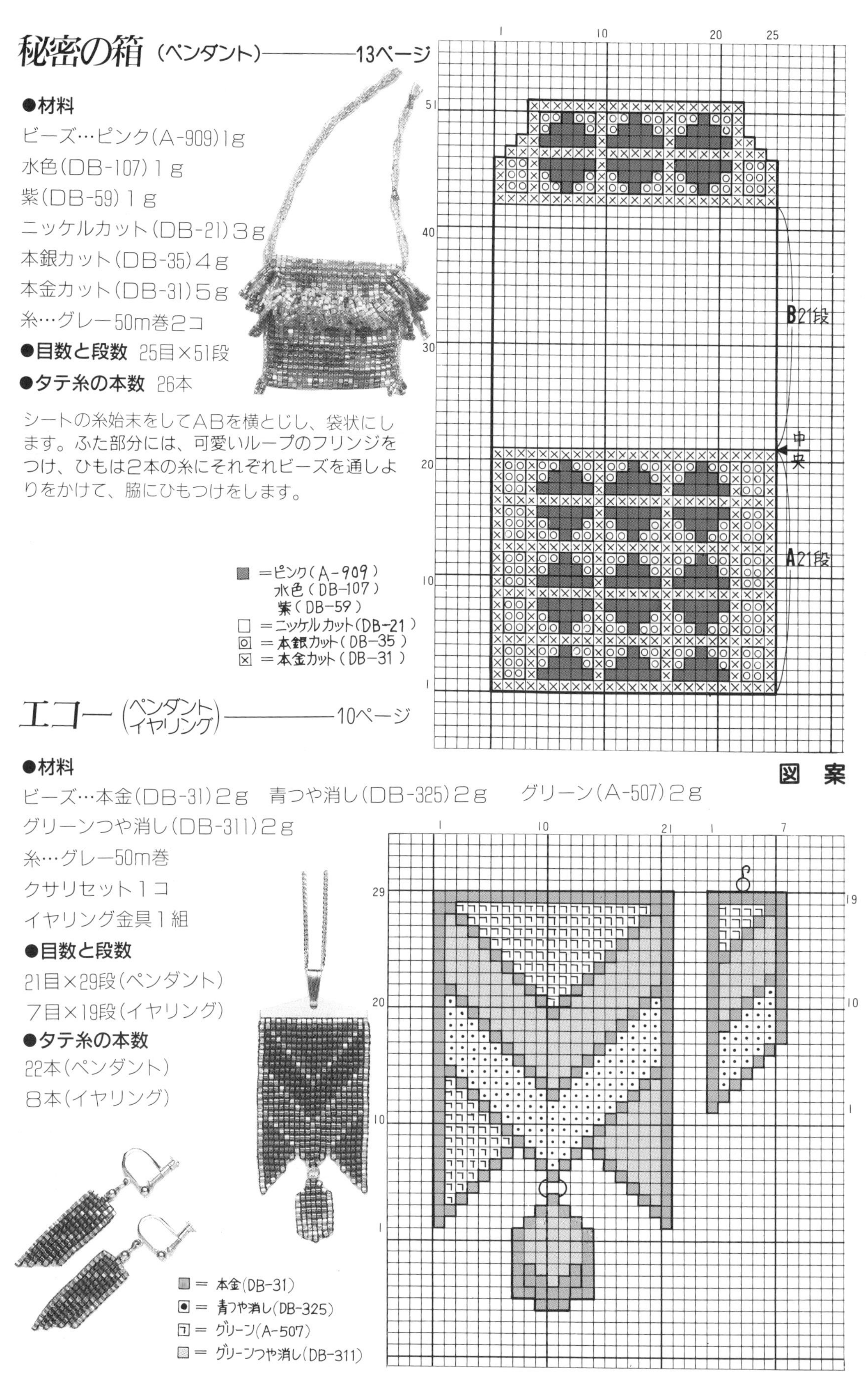

秘密の箱（ペンダント）――――13ページ

●材料

ビーズ…ピンク（A-909）1g
水色（DB-107）1g
紫（DB-59）1g
ニッケルカット（DB-21）3g
本銀カット（DB-35）4g
本金カット（DB-31）5g
糸…グレー50m巻2コ

●目数と段数 25目×51段

●タテ糸の本数 26本

シートの糸始末をしてABを横とじし、袋状にします。ふた部分には、可愛いループのフリンジをつけ、ひもは2本の糸にそれぞれビーズを通しよりをかけて、脇にひもつけをします。

■＝ピンク（A-909）
水色（DB-107）
紫（DB-59）
□＝ニッケルカット（DB-21）
◎＝本銀カット（DB-35）
☒＝本金カット（DB-31）

B21段
中央
A21段

図案

エコー（ペンダント イヤリング）――――10ページ

●材料

ビーズ…本金（DB-31）2g　青つや消し（DB-325）2g　グリーン（A-507）2g
グリーンつや消し（DB-311）2g
糸…グレー50m巻
クサリセット1コ
イヤリング金具1組

●目数と段数

21目×29段（ペンダント）
7目×19段（イヤリング）

●タテ糸の本数

22本（ペンダント）
8本（イヤリング）

■＝本金（DB-31）
⊡＝青つや消し（DB-325）
⊓＝グリーン（A-507）
□＝グリーンつや消し（DB-311）

図案

セミノ木（ペンダント）――10ページ

●材料

ビーズ…本銀カット(DB-35)5g　グリーン(DB-27)1g　本金(DB-31)1g　焦金(DB-22)1g　紫(DB-74)20粒　チャコールグレー(A-81)20粒　ブルー(DB-44)20粒　赤(DB-43)30粒

糸…グレー50m巻

●目数と段数

21目×27段

●タテ糸の本数　22本

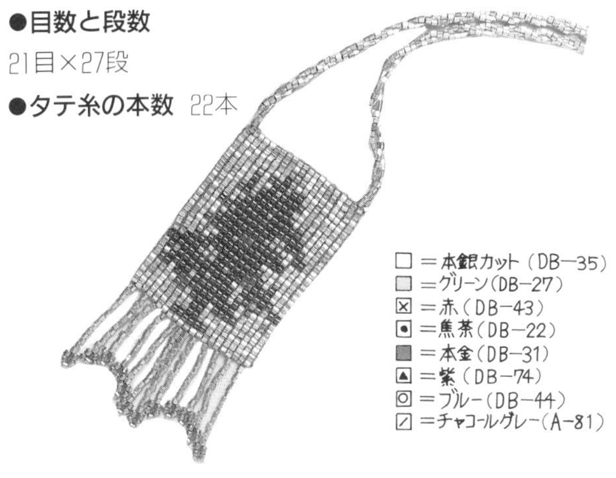

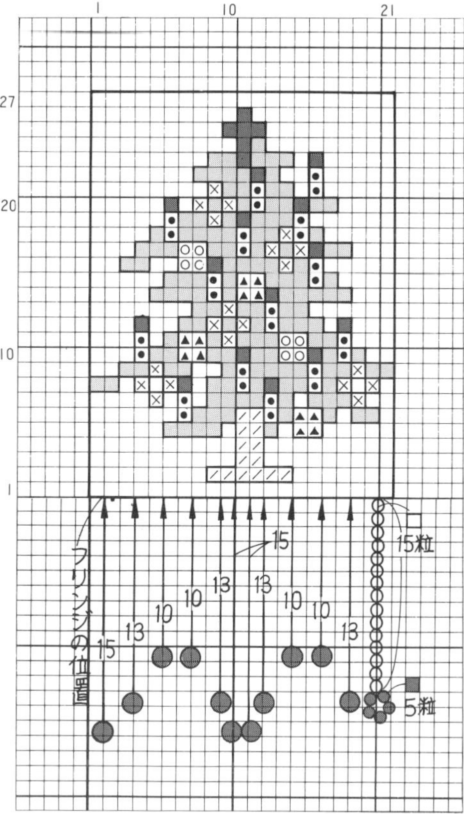

図　案

白い家（ペンダント イヤリング）――11ページ

●材料

ビーズ…焦茶(DB-22L)4g　その他（右下参照）各1g

糸…グレー50m巻　イヤリング金具セットシルバー1組

●目数と段数　21目×28段（ペンダント）　9目×10段（イヤリング）

●タテ糸の本数　22本（ペンダント）　10本（イヤリング）

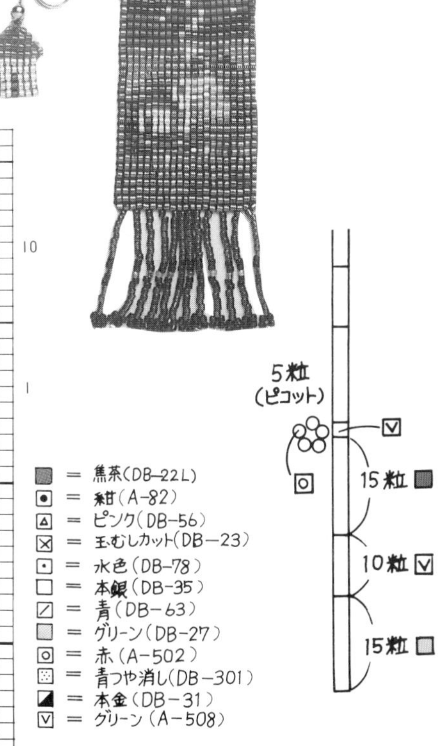

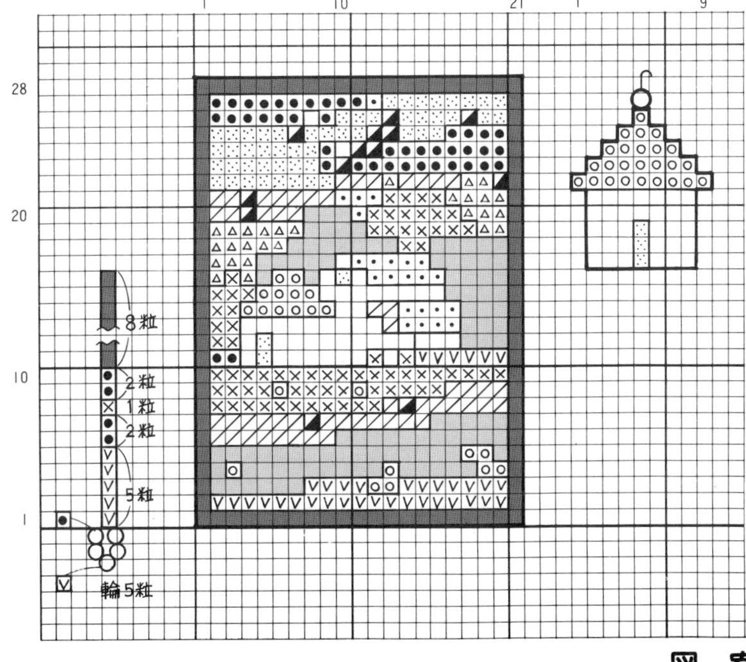

図　案

スリット（ネックレス・イヤリング）——————12ページ

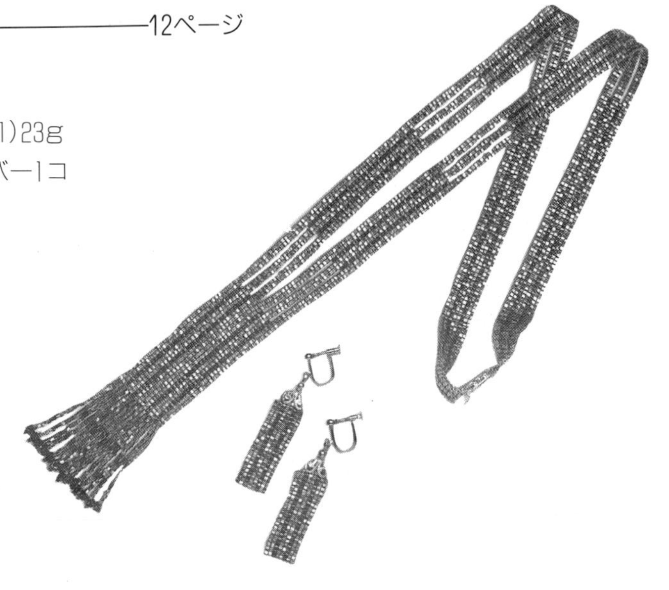

●材料

ビーズ…紫（A-85）4g　ニッケル（DB-21）23g
糸…グレー50m巻　ネックレス金具シルバー1コ
イヤリング金具シルバー１組

●目数と段数　16目×244段（ネックレス）
8目×11段（イヤリング）

●タテ糸の寸法　90cm×18本（ネックレス）
9本（イヤリング）

ペンダント

①ペンダント部分を織り、ひも部分を左右に分ける。
②すかしの部分を2目ずつ22段織り、8目で34段織る。
③模様に合わせて織りすすみ、糸始末をして金具をつける。

イヤリング

①21段織り22目から両端１粒ずつ減らす。
②キャップをつけて、イヤリングの金具をつける。

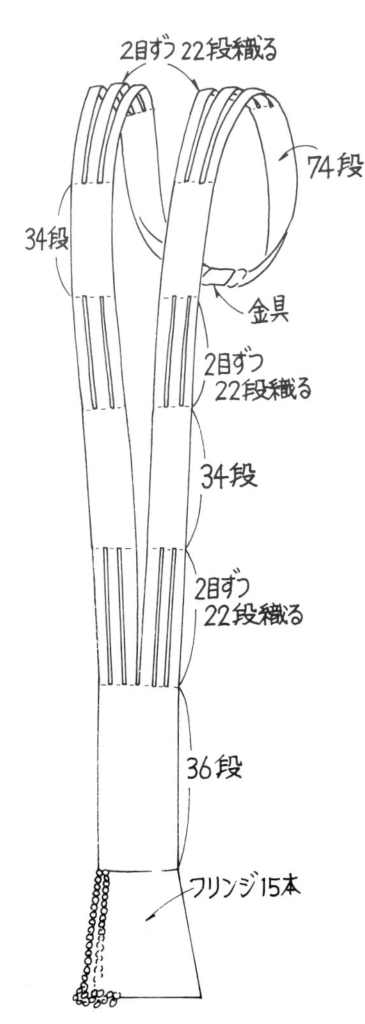

図　案

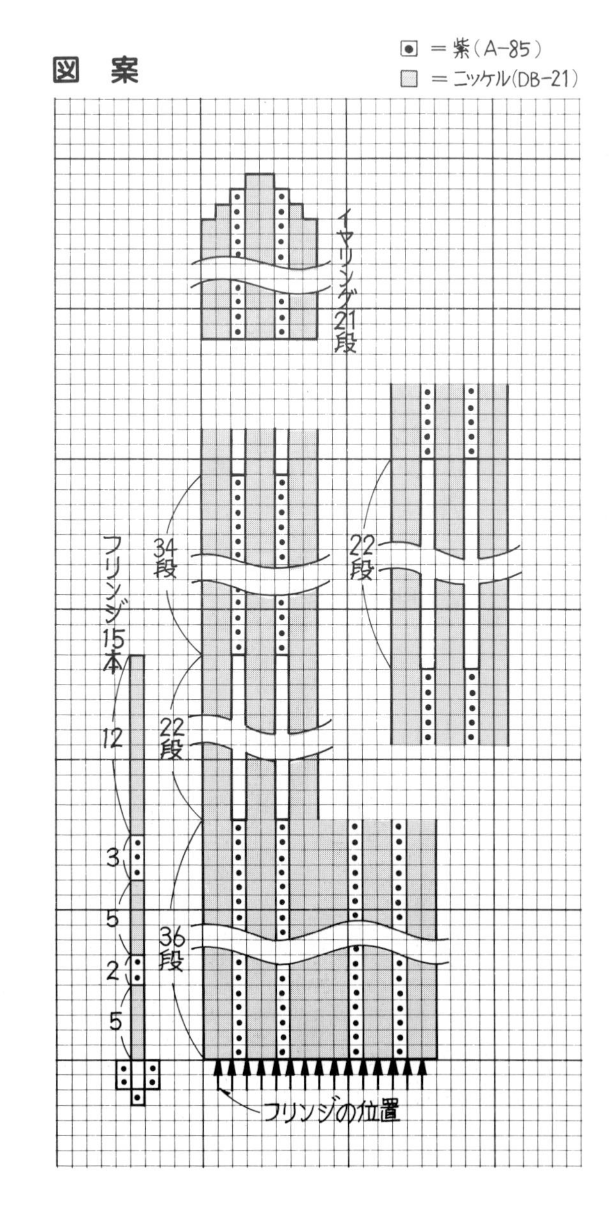

三つ編み（ネックレス イヤリング）

——12ページ

●材料

ビーズ…黒カット（DB-10）24g　ニッケルカット（DB-21）5g　紫（A-85）4g

糸…黒50m巻　イヤリング金具１組

●目数と段数　16目×270段（ネックレス）　13目×20段（イヤリング）

●タテ糸の寸法　90cm×18本（ネックレス）　14本（イヤリング）

ペンダント

①18本のタテ糸を中央２本どりにし糸張りする。
②ペンダント部分を織り左右のひもを30段織る。
③左右それぞれ２目ずつ３本のひもを30段織り、三つ編みする。
④両方のシートをつなぎ、15本のフリンジをつける。

イヤリング

①止め棒を差し込み、タテ糸を張る。
②シートにフリンジをつけ、金具をつける。

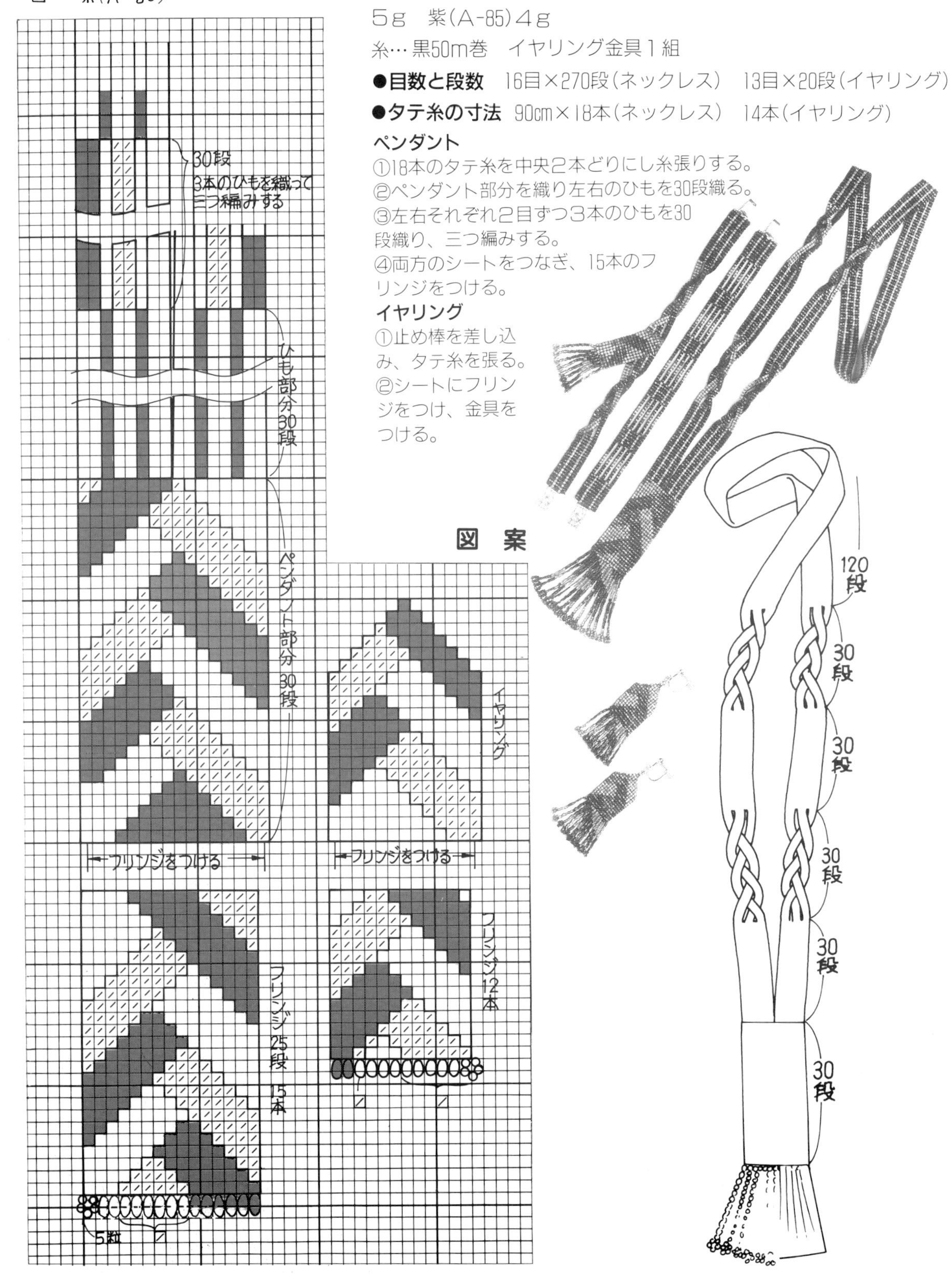

エレガントカラー（パーティの衿）――――――3ページ

●材料

ビーズ…銀（DB-41）25g　糸…ベージュ50m巻2コ

クラスプ1コ

●タテ糸の本数 29本

ポイント

①7目で130段のひもを1本織る。
②三角形のモチーフを4枚織り、ひもの68段目からそのモチーフを4枚とじつける。
③三角形のモチーフは3段ごとに両側1目ずつ減し、36段まで織る。
④モチーフの間はA、B、Cの順にビーズを通してつなぎ、ひもにクラスプをつける。

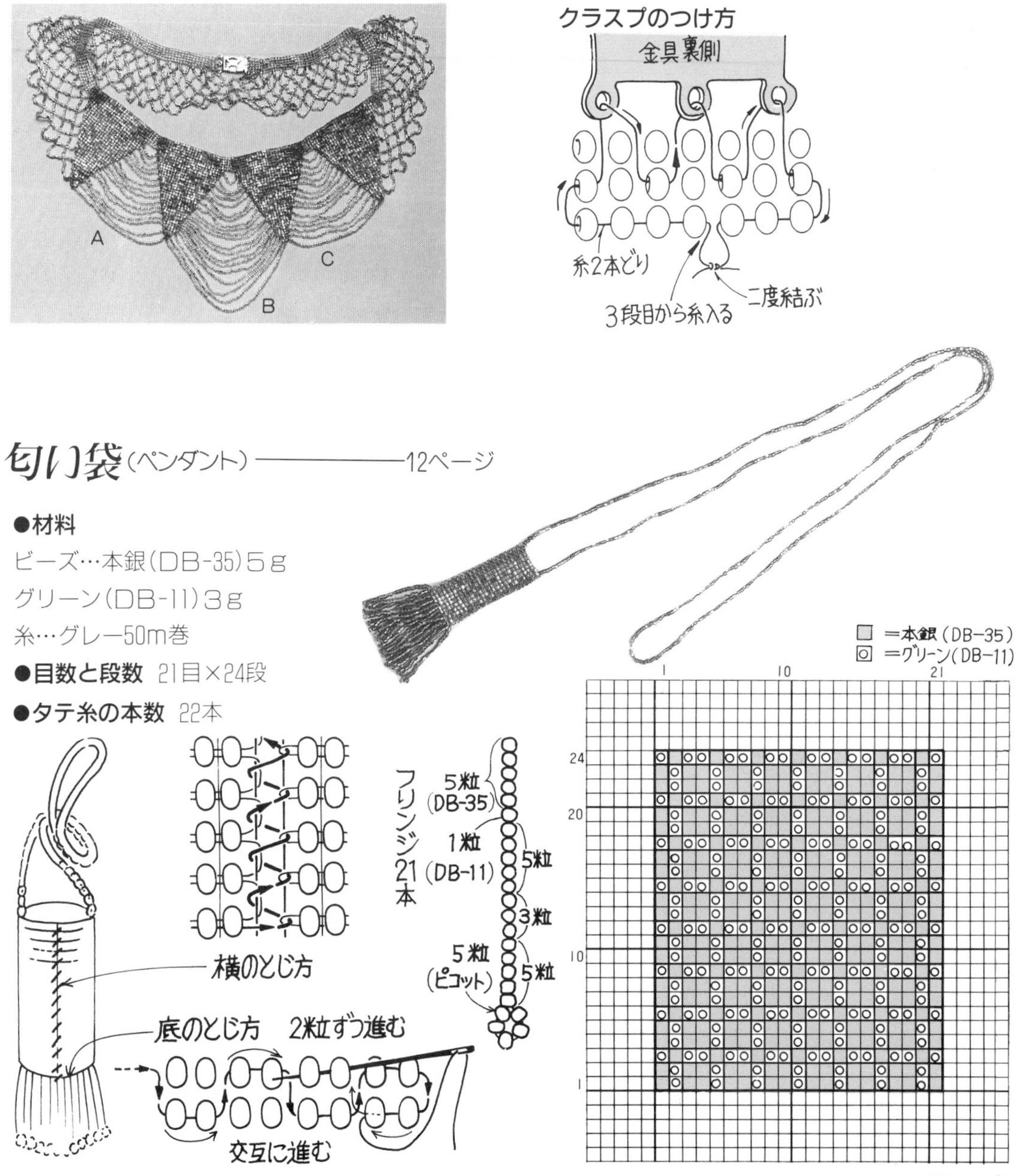

匂い袋（ペンダント）――――――12ページ

●材料

ビーズ…本銀（DB-35）5g

グリーン（DB-11）3g

糸…グレー50m巻

●目数と段数 21目×24段

●タテ糸の本数 22本

クリスタルカラー（パーティの衿）——— カバー

●**材料**

ビーズ…本銀カット（DB-35）40g 銀（DB-41）40g

糸…ベージュ50m巻2コ

●**目数と段数** 25目×40段

●**タテ糸の本数** 26本

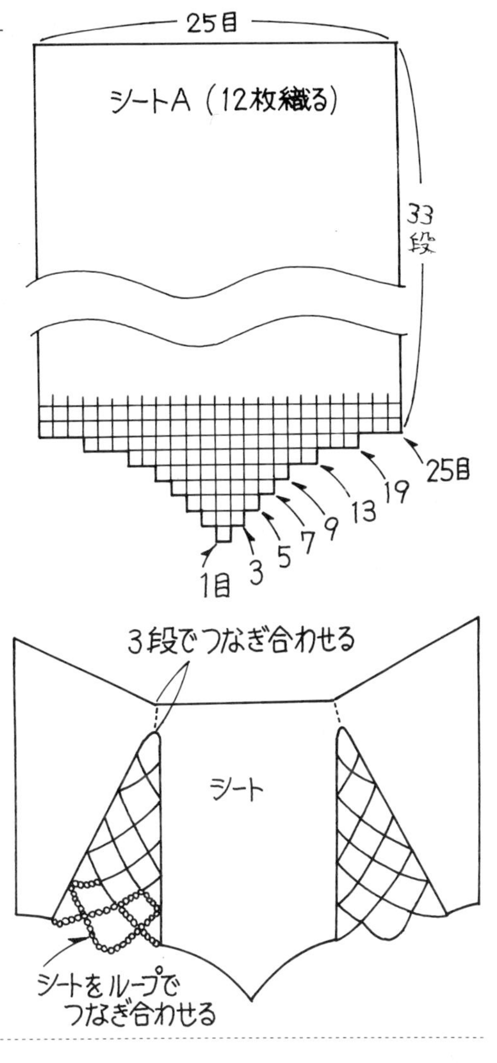

ベアトリックス（コサージ）——— 8ページ

ビーズ…本金カット（DB-31） 焦金カット（DB-22） 赤金カット（DB-12）各10g 玉虫カット（DB-23）12g グリーンカット（DB-27）6g

糸…グレー50m巻 28番ワイヤーゴールド30cm14本

コサージピンゴールド1コ

ポイント

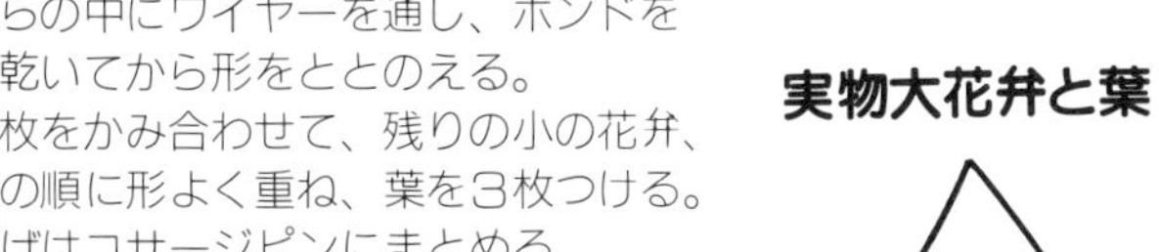

①花弁大4枚、中3枚、小3枚、葉3枚を作り、花弁はぼかしにして深みを出す。

②花びらの中にワイヤーを通し、ボンドをぬって乾いてから形をととのえる。

③小2枚をかみ合わせて、残りの小の花弁、中、大の順に形よく重ね、葉を3枚つける。

④仕上げはコサージピンにまとめる。

実物大花弁と葉

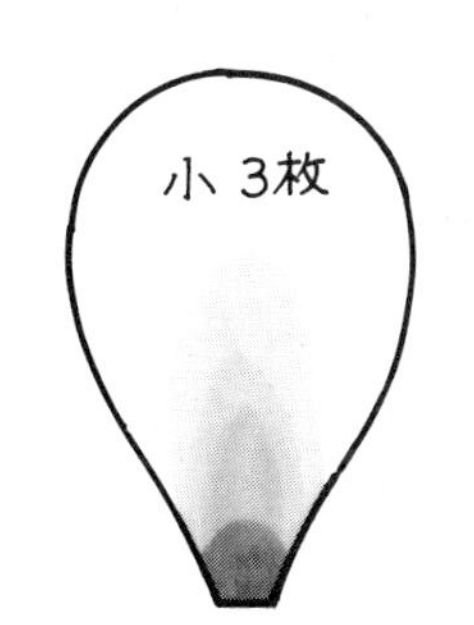

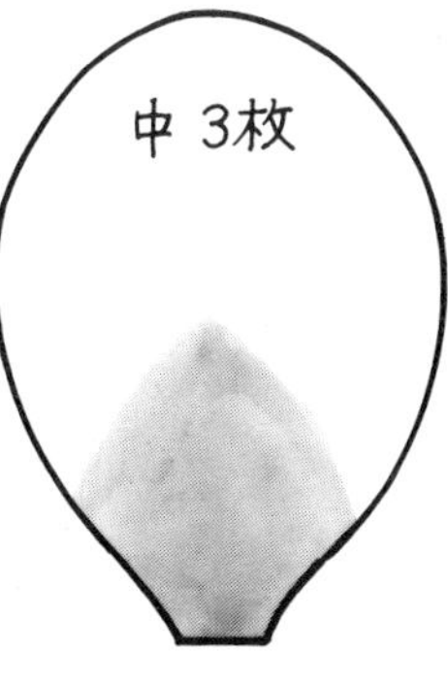

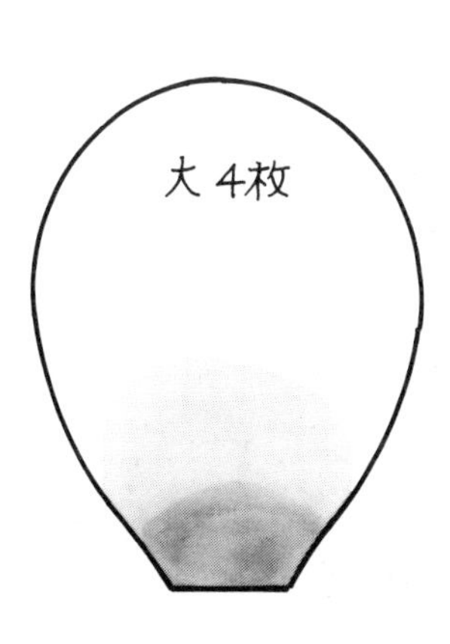

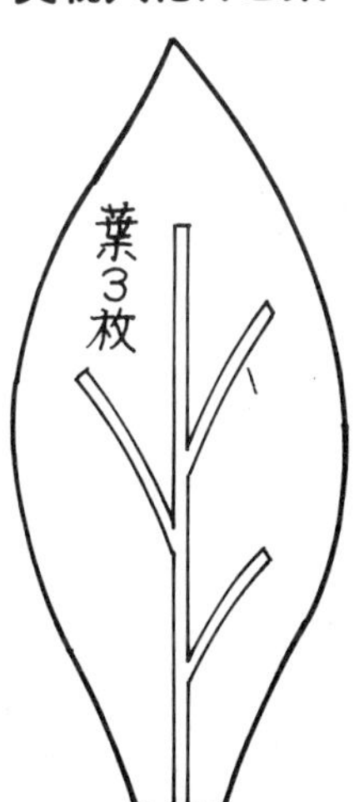

縦枠模様（帯メ）

23ページ

ビーズ…紫（DB―25）65g　本銀（DB―35）20g
本金（A―712）4g
糸…グレー50m巻2コ

● **目数と段数**　15目×約150cm
● **タテ糸の寸法**　180cm×32本
● **フリンジ**　16本

□＝ 紫（DB―25）
■＝ 本銀（DB―35）
■＝ 本金（A―712）

ポイント
①32本の糸を2本どりに16本張る。
②10cm織るごとに糸印をつけ、ウエストに合わせて150cm位に織る。

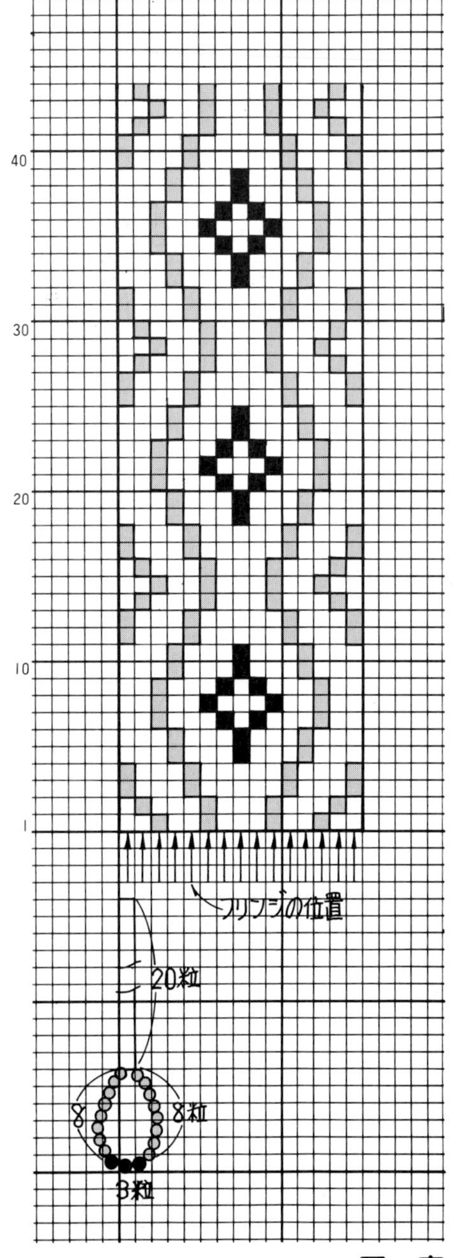

図　案

メロディー（帯メ）

23ページ

2cm幅で約150cmに織った帯メ。胸もとで交差させてネックレス風にしたり、リボンに結んだり、ベルトにしてウエストで結んだり、長く織ったひもは工夫次第でいろいろにおしゃれのポイントになります。模様はフォークソングの音符です。

さざ波（帯メ）

23ページ

波のイメージを帯メにしてみました。沢山の色を使ってグラデーションを楽しんでみましょう。色とデザインの楽しさをとり入れ、ビーズの動きに変化を出しましたが、無地の帯に映えるでしょう。

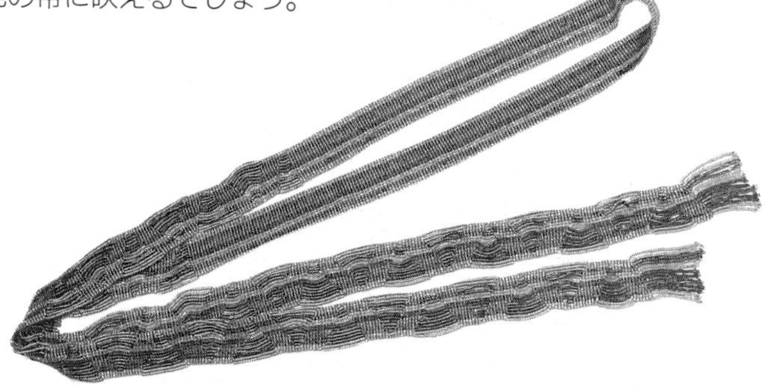

春風（ネクタイ）　14ページ

●**材料**

ビーズ…右下参照

糸…グレー50m巻2コ

●**目数と段数**　29目×684段（長さ113.5cm）

●**タテ糸の寸法**　140cm×30本

図　案

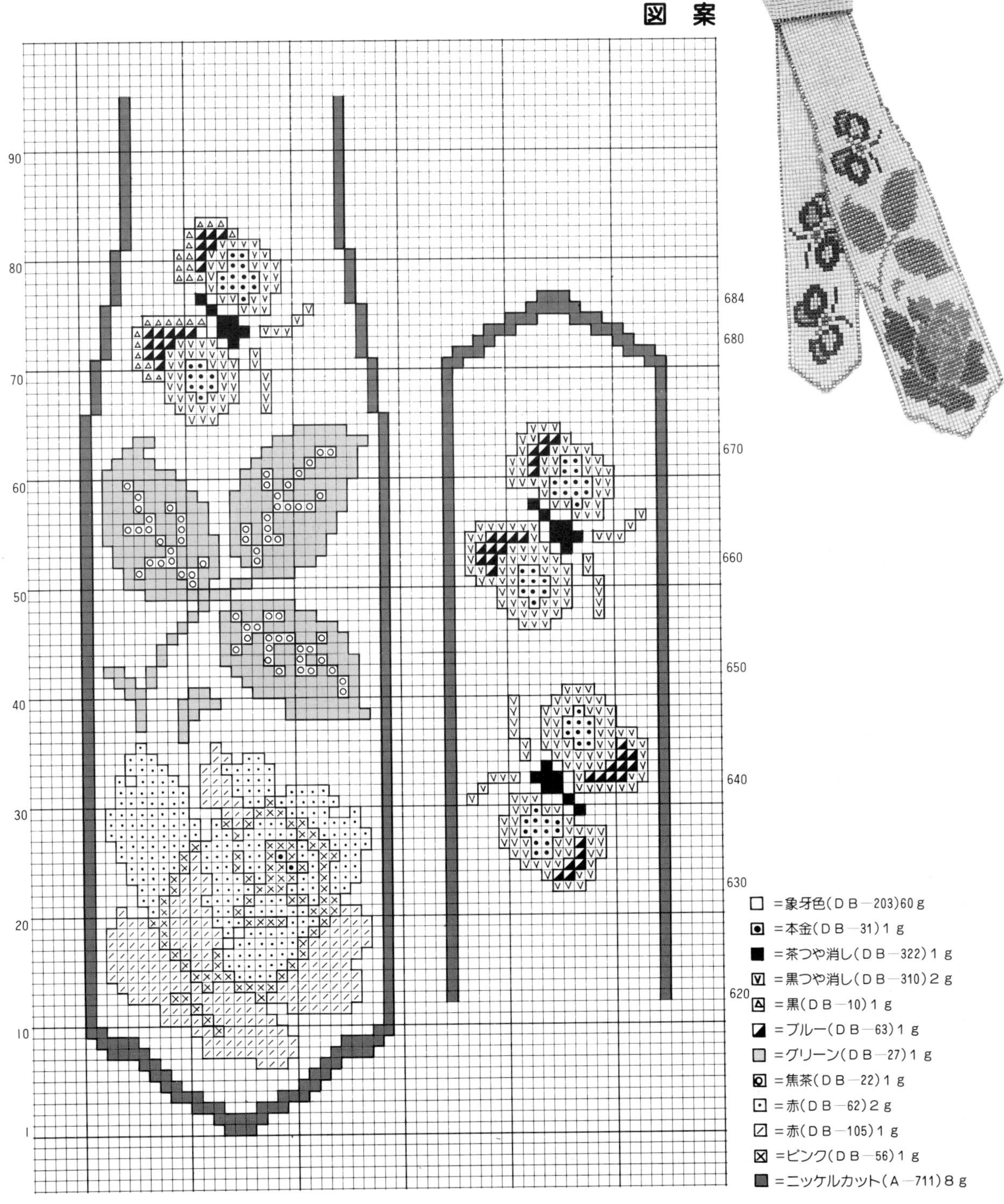

五月のバラ（メガネケース）　14ページ

●**材料**

ビーズ…黒(A―49)60g　うす紫(DB―72)3g　紫(DB―74)3g　赤(A―332)3g　クリーム(DB-204)3g　黄(DB―53)3g　焦金(DB―22)2g　黄みどり(A-457)4g　グリーン(A―84)5g　モスグリーン（DB―11）3g　本銀(DB―35)4g　ニッケル(A-711)3g

糸…黒500m巻　口金ゴールド　裏地黒サテン40cm×13cm

●**目数と段数**　62目×105段

●**タテ糸の寸法**　90cm×63本

図案

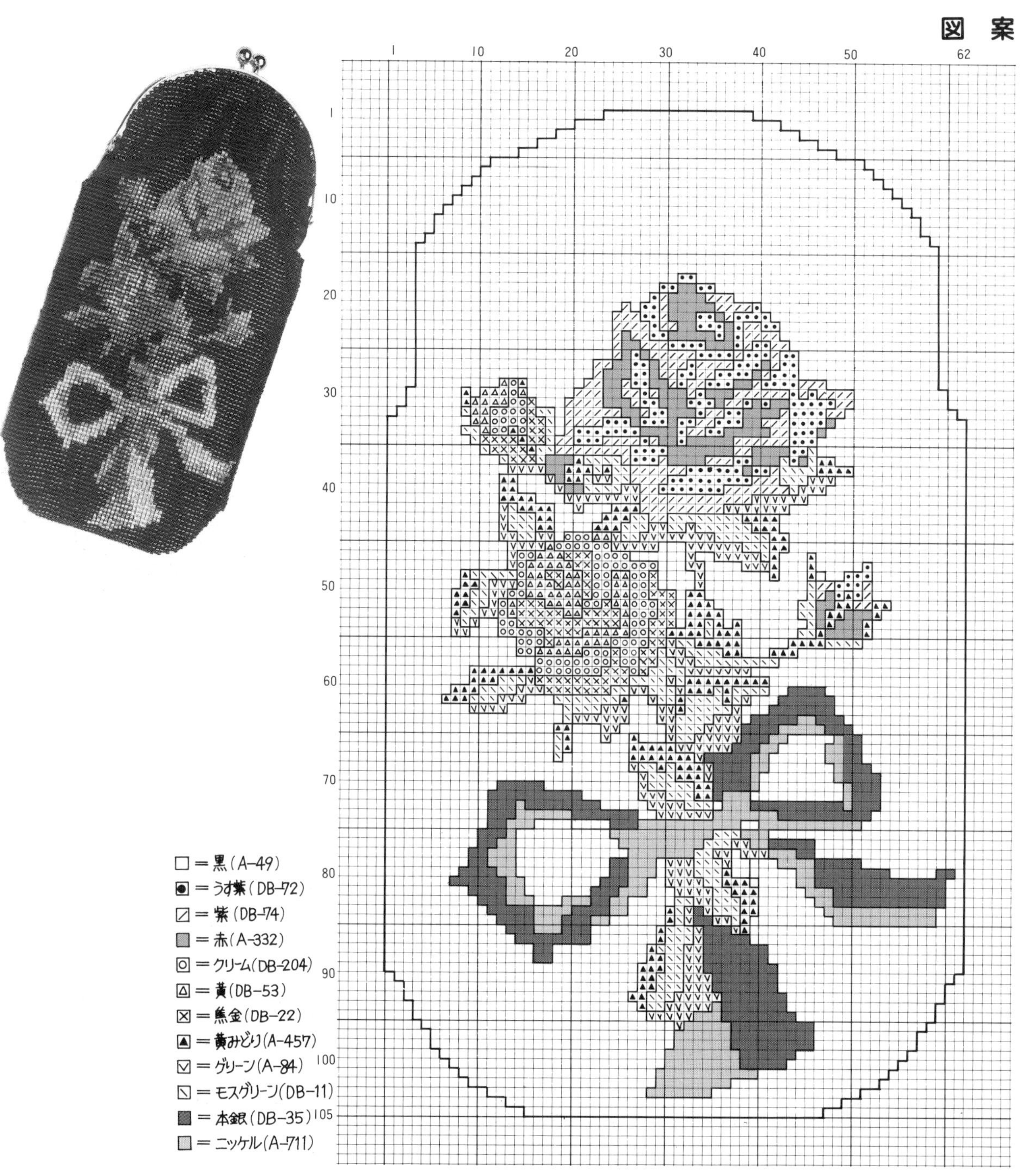

バラのアーチ（メガネケース）

14ページ

●**材料**

ビーズ…銀（DB－41）40g　黄みどり（DB－60）6g　グリーン（DB－24）7g　青（DB－77）1g　青（DB－76）6g　本金（DB－31）2g　ピンク（DB－70）2g　オレンジ（DB－75）2g　赤金（DB－12）1g　青（DB－63）1g　焦金（DB－22）8g　赤（DB-105）2g　赤紫（DB－74）1g　藤色（DB－73）1g　うす紫（DB－72）。1g

糸…グレー500m巻　口金ゴールド　裏地白サテン40cm×13cm

●**目数と段数**　62目×106段

●**タテ糸の寸法**　90cm×63本

図　案

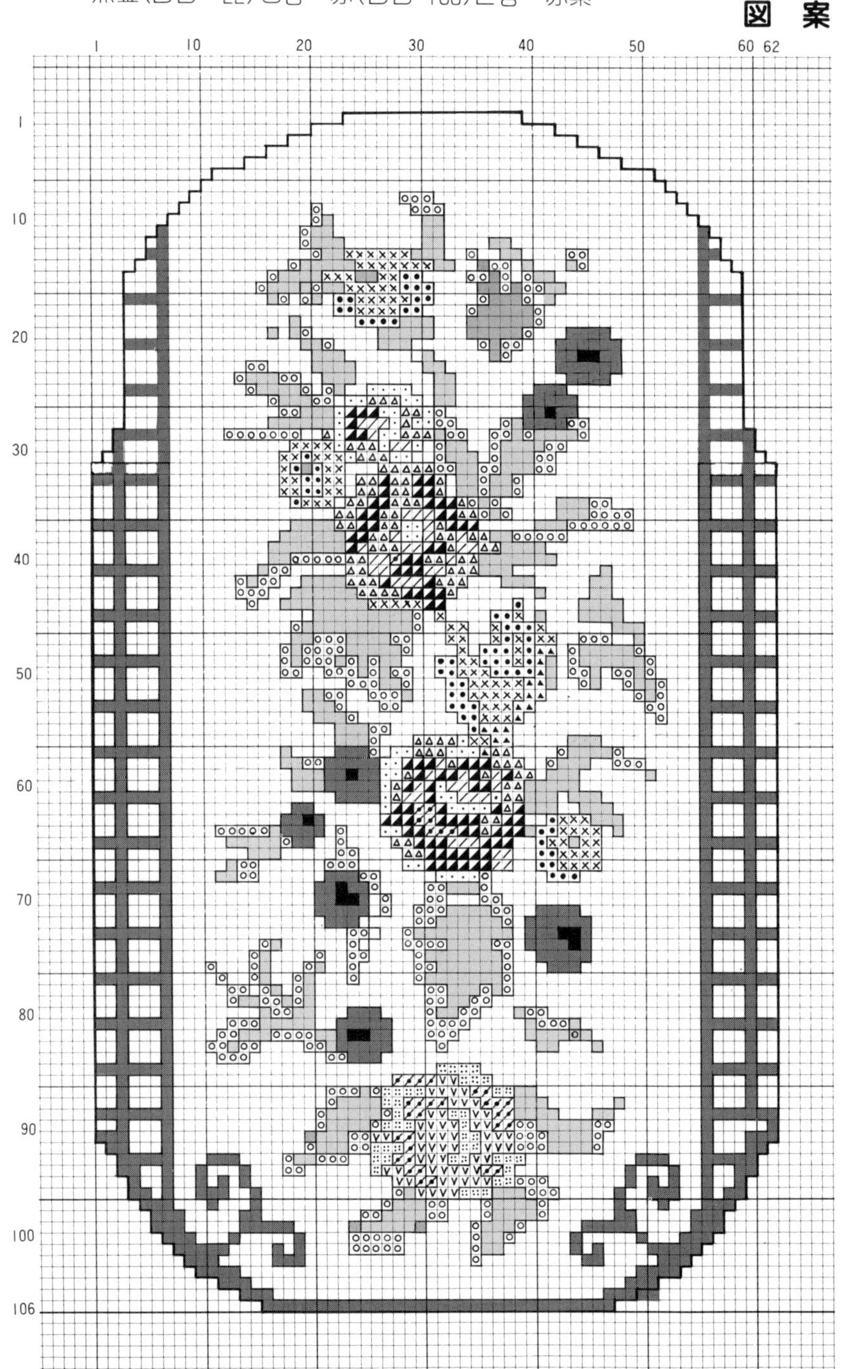

□＝銀（DB-41）
◎＝黄みどり（DB-60）
▒＝グリーン（DB-24）
⊠＝青（DB-77）
●＝青（DB-76）
■＝本金（DB-31）
⊡＝ピンク（DB-70）
△＝オレンジ（DB-75）
⧄＝赤金（DB-12）
▲＝青（DB-63）
▓＝焦金（DB-22）
◪＝赤（DB-105）
V＝赤紫（DB-74）
⊘＝藤色（DB-73）
⊞＝うす紫（DB-72）

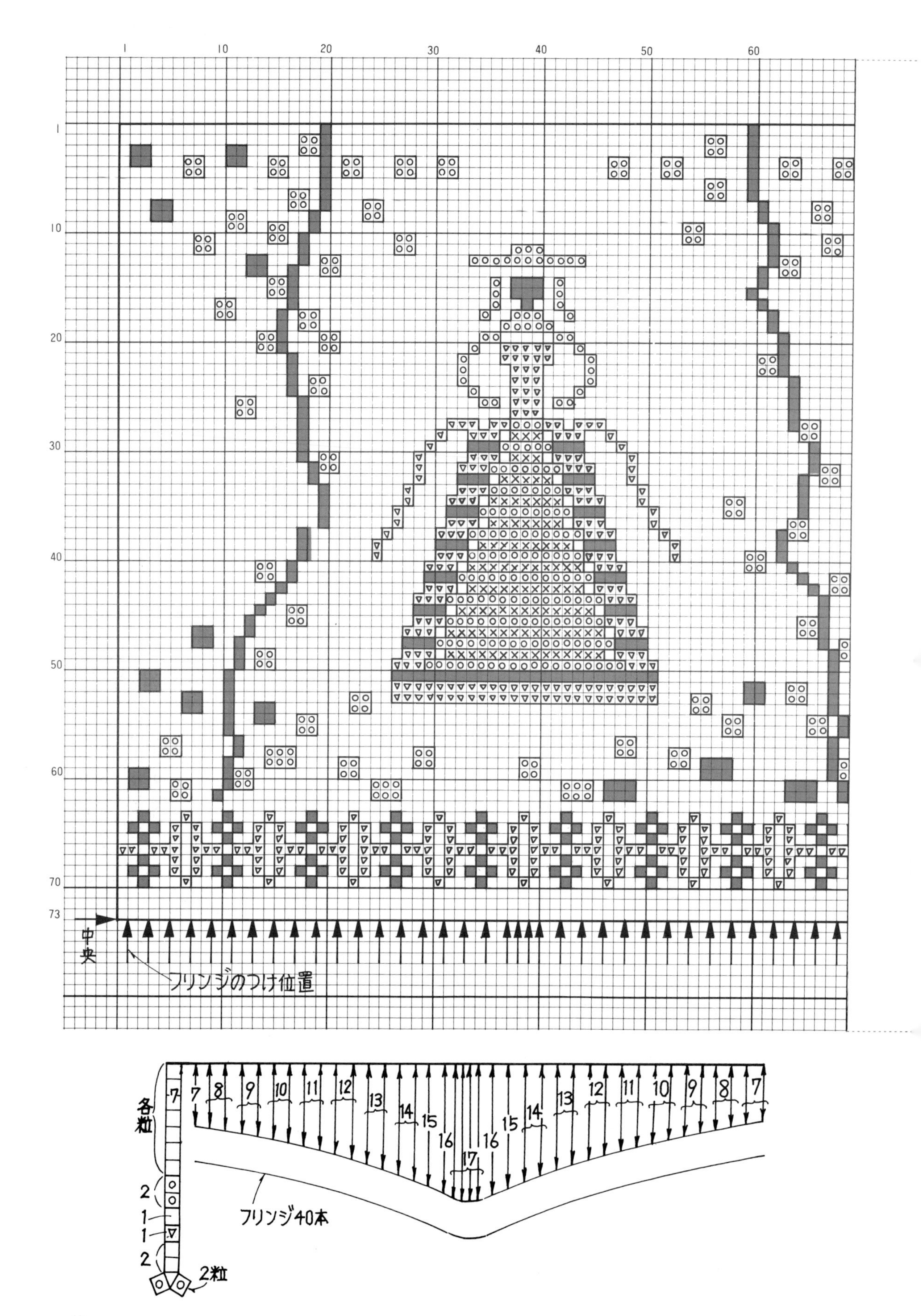
中央
フリンジのつけ位置
各粒
フリンジ40本
2粒

図案

70 77

ひも

□＝黒(A−49)
■＝濃茶(DB−22)
◎＝本金(A−712)
▽＝金赤(DB−12)
⊠＝混合(DB−27、72、73、60、78、77、105)

散歩(小物入れ)

14ページ

●材料

ビーズ…黒(A−49)50g　濃茶(DB−22)4g　本金(A-712)6g　金赤(DB−12)5g　混合(DB−27、72、73、60、78、77、105)5g

糸…黒500m巻　裏地黒サテン30cm×50cm　ファスナー黒10cm

●目数と段数　77目×73段

●タテ糸の寸法　90cm×78本

●フリンジ　40本

●ひも　7目×72段

ポイント

①90cmの糸を78本張る。
②模様に従って１段目から73段で織り返してまた１段目に織りもどる。
③シートの幅を一定に織るようにときどき定規で計る。
④内袋を縫ってファスナーと飾りひもをつける。

雅（巾着）　3ページ

●材料
ビーズ…銀（DB－35）50g　玉虫色（A-721）160g
糸…グレー500m巻　裏地白サテン30cm×40cm
●目段と段数　140目×100段
●タテ糸の寸法　90cm×141本
●ひも　6目×312段（銀1粒、玉虫色4粒、銀1粒このくりかえし）

ポイント
①90cm141本のタテ糸を張る。
②右の図案を対称に織る。
③しぼり口にフリンジをつける。
④ひもは6目×312段織ってとじつける。

舞踏会（巾着）――――――――2ページ

（応用作品）

裾に3段のカーブをつけて型に変化をもたせ、模様はシンプルにしました。色はニッケルの中に七色の輝きがあるアンティークビーズの721番を使い、本銀の模様でメタリックな作品にしました。スリットの中に2本のひもを通して、その先に可愛いボンボリをつけます。ブロードウェイのマイフェアレディの舞台を思い出して作ってみました。

図 案

パリジェンヌ（巾着）

9ページ

●**材料**

ビーズ…焦金（DB―22）100g 濃茶（DB―7）80g

糸…グレー500m巻　裏地白サテン30cm×40cm

●**目数と段数**　121目×108段

●**タテ糸の寸法**　90cm×122本

●**フリンジ**　33粒×60本

●**ひも**　5粒（焦金3粒、濃茶2粒）×312段（2本）

ポイント

①90cmの糸を122本張る。

②7段目からスリットを作る。

③ひもは2本どりの糸で少しきつめに織る。

④スリットの中にひもを通して、つなぎ合わせる。

⑤裏地はスリットの下から2段目のビーズに縫いつける。

■＝焦金（DB-22）

☒＝濃茶（DB-7）

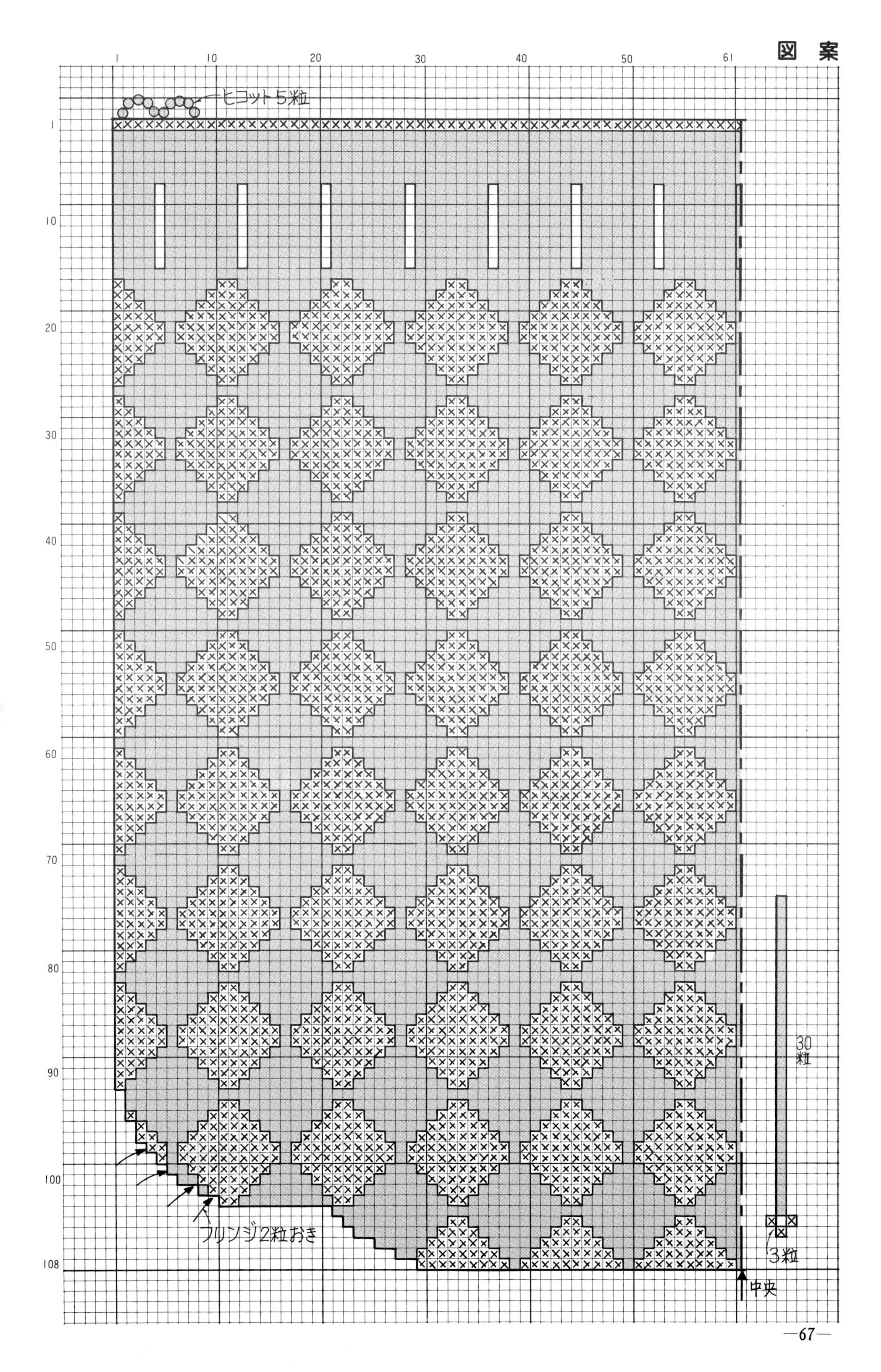
ピコット5粒
1
10
20
30
40
50
61
108
30粒
3粒
フリンジ2粒おき
中央

騎手（セカンドバッグ）　18ページ

●**材料**

ビーズ…ニッケルカット（DB—21）95g　本金（DB—31）7g　グリーン（DB—27）7g　赤金（A　502）4g　チャコールグレー（DB—1）8g　焦金（DB—22）7g

糸…グレー500m巻 裏地白サテン40cm×40cm
芯地…白フェルト20cm×30cm　口金ゴールド

●**目数と段数**　145目×161段

●**タテ糸の寸法**　90cm×146本

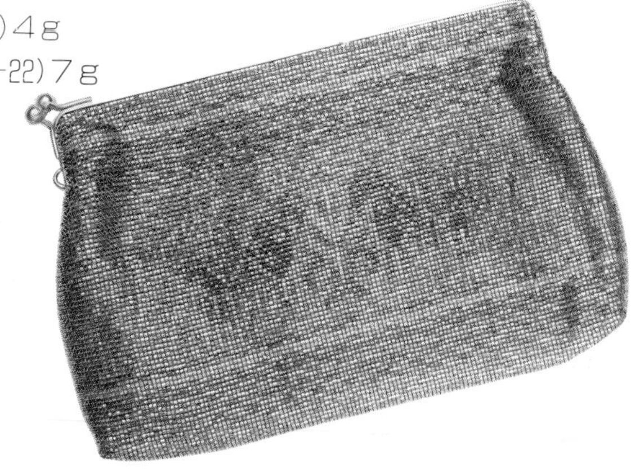

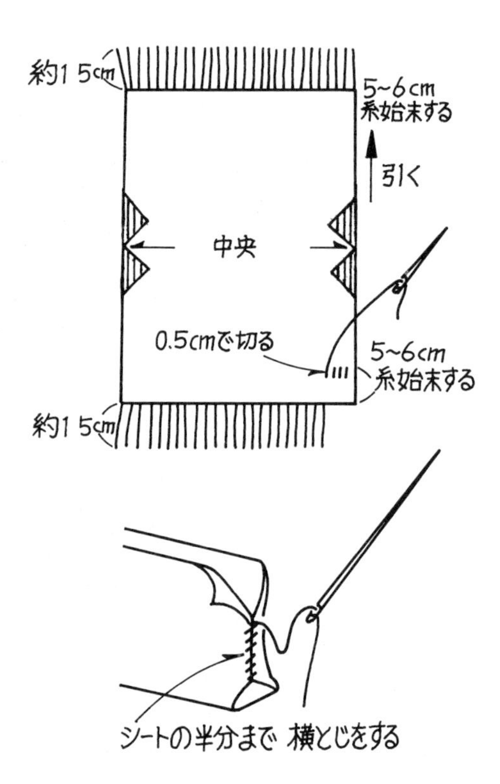

ポイント
①90cmの糸を146本張る。
②シートのヨコ幅が広いので、ビーズの中をもどるときは途中で2、3回針を引きながら織る。

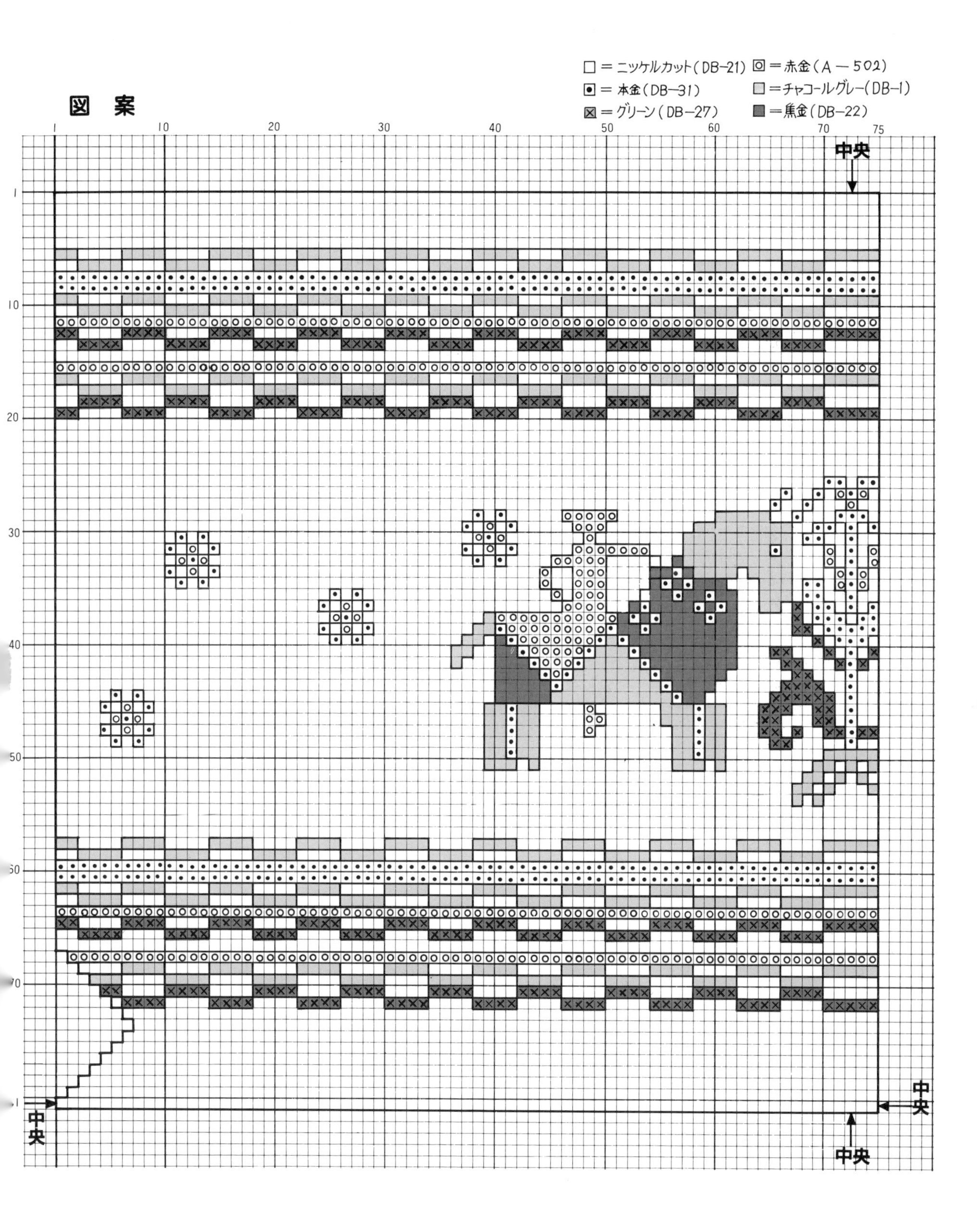
図 案
□＝ニッケルカット(DB-21)
◎＝赤金(A－502)
●＝本金(DB-31)
□＝チャコールグレー(DB-1)
⊠＝グリーン(DB-27)
■＝焦金(DB-22)
中央

レテキュール（巾着）

●**材料**

ビーズ…本銀（DB―35）80g　本金（A-712）60g　ニッケルカット（DB―21）40g　うす紫（DB―72）3g　グリーン（DB―27）2g

糸…グレー500m巻　裏地白サテン50cm×50cm　コットン少量

●**目数と段数**　42目×110段

●**タテ糸の寸法**　90cm×43本

図　案

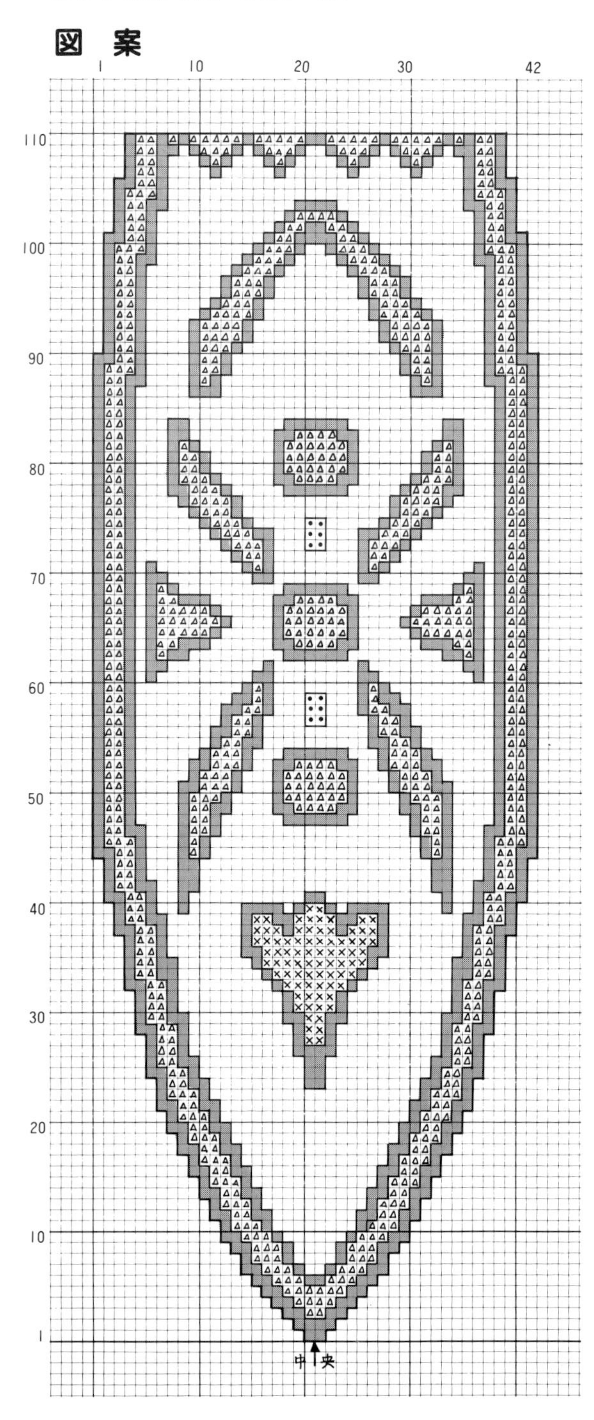

ポイント

①42目×110段のシートを6枚織る。
②ヨコとじをしてつなぎ合わせサッカーボールのような立体にする。
③内袋を縫いひも通しをつける。
④下げひもは8目で少し幅広く織る。
⑤裾飾りのボンボリは、中にコットンを少量入れて形を整える。
⑥フリンジは、糸に20cmのビーズを通し輪にして10本作り、裾を輪にする。

□＝本銀（DB-35）
△＝本金（A-712）
■＝ニッケルカット（DB-21）
●＝グリーン（DB-27）
☒＝うす紫（DB-72）

パーティ（ブローチ）

●材料

ビーズ…本銀（DB—35）3g　金（A—22）2g　焦金（DB—22）2g　グリーン（A—84）2g　黄緑（DB—60）2g　ピンク（DB—206）2g　グレー（DB—80）2g　象牙色（DB—203）2g　オレンジ（DB—70）2g　うす紫（DB—104、81）2g　青紫（DB—59）2g　グレー（DB-107）5g　黒（A—49）3g

糸…グレー50m巻　ブローチ金具ゴールド

●**目数と段数**　31目×36段

●**タテ糸の本数**　32本

目数表

1	31															
2	1	5×	2#	2×	4◐	1×	1#	3×	2#	4×	5⊙	1				
3	1	3×	4#	3×	2◐	13×	4⊙	1								
4	1	3×	10#	1▲	3○	9×	3⊙	1								
5	1	9×	3#	4▲	2○	1#	3×	2●	2×	3#	1					
6	1	2#	2×	3◎	1×	3#	5▲	2#	3×	4●	4×	1				
7	1	3×	4◎	3#	7▲	1×	4#	4●	3×	1						
8	1	4×	2◎	3#	8▲	2◐	2×	2#	2●	4×	1					
9	1	7×	2#	8▲	4◐	3#	5×	1								
10	1	4×	2⊙	2×	1#	8▲	3◐	1×	2#	6×	1					
11	1	4#	3⊙	3×	6▲	3◐	2#	2×	2◎	4#	1					
12	1	2#	3×	3⊙	3×	4△	1#	2◐	1#	4×	3◎	3#	1			
13	1	2#	2×	4⊙	2×	1#	4△	1×	3#	3×	4◎	3#	1			
14	1	3#	2×	2⊙	2×	2#	4○	1×	4#	3×	2◎	4#	1			
15	1	2#	2□	4×	10△	4×	1□	2#	1□	1回	2□	1				
16	1	2回	4◘	1回	12△	3×	2回	2#	3回	1						
17	1	7◘	12△	2回	2×	2回	1#	3回	1							
18	1	2回	1□	1回	3◘	1■	8△	1■	2△	2回	1□	2回	2□	3回	1	
19	1	2回	1□	2回	3◘	1■	7△	1■	2△	3回	1□	2回	4□	1		
20	1	3回	1◘	1□	3◘	1■	7△	1■	2△	1×	3回	1□	3回	2□	1	
21	1	3回	1□	4◘	1■	6△	2■	3△	1□	2回	1□	2回	3□	1		
22	1	5回	4◘	1■	5△	2■	3△	3回	1□	3回	2□	1				
23	1	3回	1◘	3回	2◘	2■	3△	3■	1回	2△	4回	1□	1回	3□	1	
24	1	4回	2□	4◘	2■	1△	4■	1回	1□	2回	1□	3回	1□	3回	1	
25	1	4回	1□	2回	3◘	8■	2回	1□	3回	1□	1回	3□	1			
26	1	5回	4◘	10■	3回	1□	3回	3□	1							
27	1	5回	3◘	12■	4回	2□	3回	1								
28	1	2□	3回	3◘	12■	2回	3□	4回	1							
29	1	4回	4◘	12■	3回	1□	2回	3□	1							
30	1	2回	2□	5◘	10■	2□	2回	1□	2回	3□	1					
31	1	3□	1回	1□	4◘	10■	2回	3□	2回	3□	1					
32	①	4□	2回	3◘	10■	2回	2□	2回	4□	①						
33		②	3□	5◘	10■	9□	②									
34			③	3□	4◘	10■	8□	③								
35				④	3□	3◘	10■	7□	④							
36					⑤	2□	3◘	9■	7□	⑤						

フリンジ

1	20□	5○	
2	19□	5○	
3	18□	5○	
4	17□	5○	
5	3□	13◘	5○
6	15◘	5○	
7	11◘	4■	5○
8	10◘	5■	5○
9	8◘	7■	5○
10	6◘	9■	5○
11	15■	5○	
12	15■	5○	
13	15■	5○	
14	15■	5○	
15	15■	5○	
16	15■	5○	
17	15■	5○	
18	15■	5○	
19	9□	6■	5○
20	11□	4■	5○
21	14□	1■	5○
22	15□	5○	
23	15□	5○	
24	15□	5○	
25	15□	5○	
26	16□	5○	
27	17□	5○	
28	18□	5○	
29	19□	5○	
30	20□	5○	

ポイント

①タテ糸を32本張る。
②シート幅が4.5cmになるようにヨコ糸の引き加減に注意しながら織る。
③金具つけは2本どりでつける。
④フリンジにドレスの模様を織る。

無印＝本銀（DB—35）
○＝金（A—22）
▲＝焦金（DB—22）
×＝グリーン（A—84）
#＝黄緑（DB—60）
◐＝ピンク（DB—206）
⊙＝グレー（DB—80）
△＝象牙色（DB—203）
◎＝オレンジ（DB—70）
◘＝うす紫（DB—104、81）
回＝青紫（DB—59）
□＝グレー（DB—107）
■＝黒（A—49）
●＝紫（DB—73）

花（ペンダント）　11ページ

●**材料**
ビーズ…本銀（DB—35）4g　本金（DB—31）3g　赤（DB—62）　ピンク（DB—106）オレンジ（DB—75）　グリーン（DB—27）　ブルー（DB—79）　各20粒
糸…グレー50m巻　クサリセットゴールド

●**目数と段数**　21目×21段

●**タテ糸の本数**　22本

●**フリンジ**　22本（本銀8粒、本金2粒、本銀1粒、本金1粒、本銀1粒、本金3粒、本銀3粒、本金5粒をピコット）

ポイント
①22本のタテ糸を張る。
②1段目はタテ糸の中央にビーズをはさんで目数表どおり織ってフリンジをつける。
③金具つけは、糸2本どりでつける。

無印＝本銀（DB—35）
○＝赤（DB—62）
×＝ピンク（DB—106）
△＝オレンジ（DB—75）
◎＝グリーン（DB—27）
●＝ブルー（DB—79）

目数表

1	1									
2	3									
3	1	2◎	2							
4	4	1◎	2							
5	5	1◎	3							
6	5	4○	2							
7	5	2○	4△	2						
8	2	1●	1◎	2	1○	2△	2○	1△	3	
9	4	1●	1◎	1	1○	2△	1○	2×	1◎	3
10	5	1●	1◎	2	2△	1	1×	2●	1◎	3
11	7	5○	2	1◎	2●	4				
12	6	5×	2△	3	1●	2				
13	4	1△	1×	3△	2×	1△	5			
14	3	2△	2○	1△	2×	1△	4			
15	4	1○	2△	1×	2△	3				
16	3	1×	1◎	2×	4					
17	3	1◎	1●	4						
18	2	1●	4							
19	5									
20	3									
21	1									

マダム・フミ（ペンダント）　10ページ

●**材料**
ビーズ…ピンク（DB—56）5g　象牙色（DB—204）1g　紫（DB—4）4g　黄みどり（DB—60）1g　グレー（DB—107）1g　金（DB—42）2g　焦金カット（DB—22）1g
うす紫（DB—72）オレンジ（DB—70）紫（DB—73）グリーンのカット（DB—27）黒（A—49）各20粒

●**目数と段数**　29目×33段

●**タテ糸の本数**　30本

●**フリンジ**　28本（ピンク13粒、紫2粒、ピンク4粒、紫5粒、金5粒がピコット）

ポイント
①タテ糸を30本張る。
②1段目は6粒、2段目は3粒ビーズを減らしてシートに変化をつけ、30段から33段も減目する。
③減目して段差をつけたところから40粒の3本のひもをつける。

無印＝ピンク（DB—56）
□＝金（DB—42）
●＝グレー（DB—107）
△＝黒（A—49）
○＝黄みどり（DB—60）
▲＝オレンジ（DB—70）
回＝うす紫（DB—72）
◎＝象牙色（DB—204）
◘＝焦金カット（DB—22）
▽＝紫（DB—4）
×＝グリーンカット（DB—27）
■＝藤色（DB—73）

目数表

1	⑥	17□	⑥										
2	③	3□	17	3□	③								
3	3□	23	3□										
4	1□	27	1□										
5	1□	6	4●	1▲	2○	4△	2○	8	1□				
6	1□	6	3●	1▲	3×	2△	2○	10	1□				
7	1□	5	3●	1▲	2△	2○	3回	1×	3■	2×	5	1□	
8	1□	4	3●	1▲	3△	2○	3回	2×	2■	2○	5	1□	
9	1□	3	4●	2▲	2△	3▲	2回	1○	2▲	1■	2○	5	1□
10	1□	5	2●	2◘	3▲	3■	3▲	4△	5	1□			
11	1□	2	4●	5◘	4▲	2	2▲	4△	4	1□			
12	1□	1	5●	7◘	3▲	3	1▲	3△	4	1□			
13	1□	3	4●	8◘	2▲	2	3▲	5	1□				
14	1□	4	3●	7◘	3◎	4▲	6	1□					
15	1□	3	3●	7◘	3◎	2●	2◎	7	1□				
16	1□	1	4●	8◘	1□	6◎	7	1□					
17	1□	3	2●	6◘	2◎	1□	7◎	6	1□				
18	1□	3	3●	4◘	12◎	5	1□						
19	1□	6	4●	9◎	8	1□							
20	1□	6	3●	9◎	9	1□							
21	1□	4	3●	1▽	10◎	9	1□						
22	1□	3	4●	2▽	6◎	6●	6	1□					
23	1□	2	4●	4▽	1□	4◎	3●	9	1□				
24	1□	1	3●	6▽	1◎	1□	2◎	1□	1▽	3●	8	1□	
25	1□	1	2●	8▽	1◎	2□	2◎	2●	1▽	8	1□		
26	1□	2●	9▽	5◎	2▽	9	1□						
27	1□	1●	11▽	5◎	2▽	8	1□						
28	1□	1●	12▽	4◎	3▽	7	1□						
29	1□	20▽	7	1□									
30	①	1□	20▽	5	1□	①							
31	②	1□	19▽	4	1□	②							
32	③	1□	19▽	3	1□	③							
33	④	21□	④										

蝶（チョーカー）　12ページ

●材料

ビーズ…黒カット（DB―10）20g　本金（A―712）1g　焦金（DB―22）1g

糸…黒50m巻　ネックレス金具ゴールド

●目数と段数　19目×21段

●タテ糸の本数　20本

ポイント

①19目×21段で蝶の模様を織る。

②左右のタテ糸をシートの中に交差させる。

③タテ糸に必要量のビーズを通す。

④金具を下図のようにつける。

無印＝黒（DB―10）
▲＝本金（A―712）
●＝焦金（DB―22）

目数表

1	19								
2	13	2▲	4						
3	8	7▲	4						
4	7	5▲	2●	1▲	4				
5	7	1▲	5●	2▲	1	1▲	2		
6	4	4▲	4●	2▲	2	1▲	2		
7	3	2▲	1●	2▲	3●	2▲	2	1▲	3
8	2	2▲	6●	2▲	2	1▲	4		
9	2	2▲	6●	1▲	2	1▲	5		
10	3	3▲	4●	3▲	6				
11	4	8▲	7						
12	3	3▲	4●	3▲	6				
13	2	2▲	6●	1▲	2	1▲	5		
14	2	2▲	6●	2▲	2	1▲	4		
15	3	2▲	1●	2▲	3●	2▲	2	1▲	3
16	4	4▲	4●	2▲	2	1▲	2		
17	7	1▲	5●	2▲	1	1▲	2		
18	7	5▲	2●	1▲	4				
19	8	7▲	4						
20	13	2▲	4						
21	19								

バラ（チョーカー）―― 12ページ

21目×21段でバラをデザインしました。作り方は蝶のチョーカーと同じです。チョーカー部分のデザインを変えるとまたオリジナル作品が増えます。

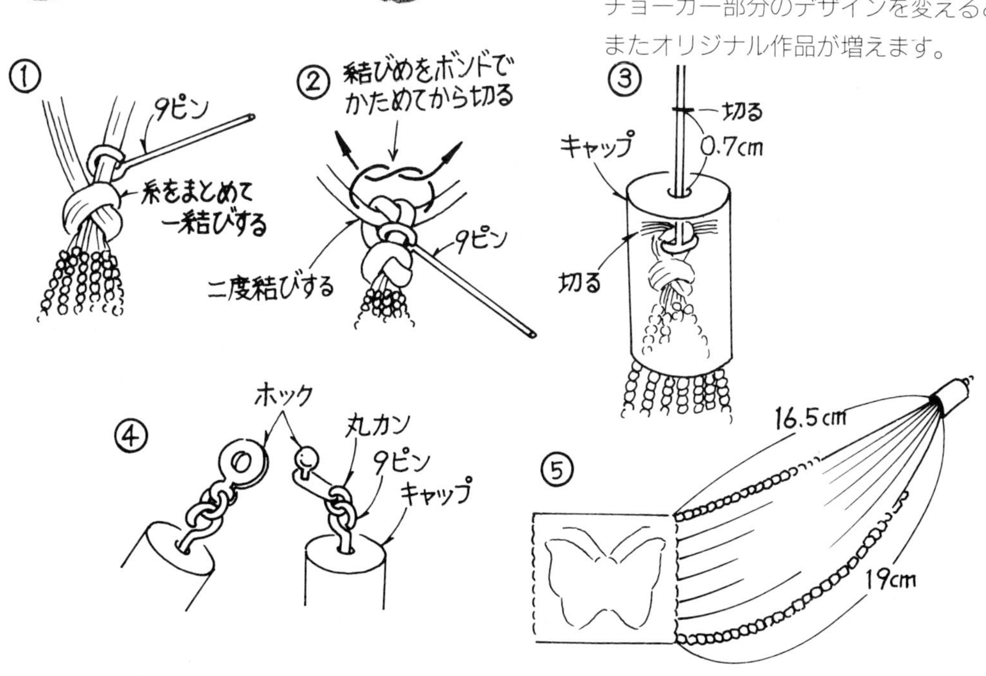

ペーズリー（ブローチ）

9ページ

●材料

ビーズ…青つや消し（DB-325）17g 焦金カット（DB-22）8g 本金（A-712）7g
糸…グレー50m巻
フェルトまたは皮　安全ピン　金具6cm

●目数と段数 41目×67段

●タテ糸の本数 42本

●フリンジ 43粒×42本

焦金10粒、青つや消し2粒、本金4粒、青つや消し2粒、本金2粒、焦金2粒、青つや消し8粒、本金10粒、本金5粒（ピコット）

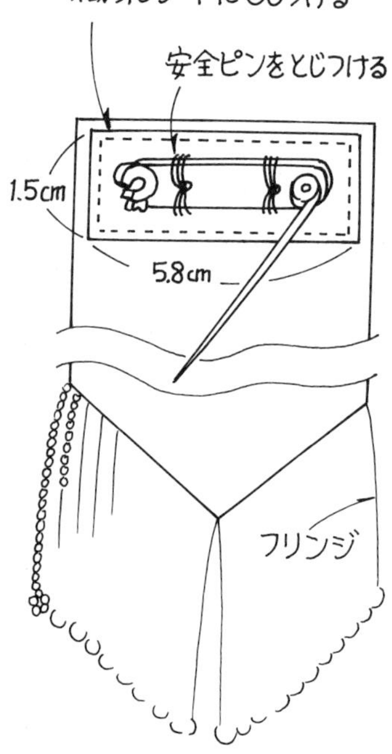

目数表

段																							
1	18	1●	7	1●	14																		
2	17	1●	1	2●	3	4●	3	6●	4														
3	10	1●	5	1●	4	1●	1	1●	3	2●	2	6●	4										
4	9	2●	5	1●	1	1×	2	8●	1×	3	4●	4											
5	8	4●	3	1●	1	1×	1	2×	1	1●	5	2●	4	4●	3								
6	8	4●	1	1●	1	1×	1	1×	3	1●	5	4●	4	2●	4								
7	7	2●	3	1●	1	1●	2	1×	4	1●	2	1×	1	6●	8								
8	7	1●	2	1×	2	2●	1	5●	1	1●	2	2●	5	4●	5								
9	6	1●	1	1×	4	2●	1×	1	1●	3	4●	9	4●	3									
10	5	1●	7	1×	3	1●	4	2●	1	1●	15												
11	4	2●	1	1×	4	1●	4	1●	3	2●	2	1×	15										
12	4	1●	5	9●	1	1●	3	2●	4	7●	4												
13	4	1●	1	1×	2	1●	2	1●	4	4●	2	1●	1	1●	1	3●	6	1●	4				
14	4	1●	3	1●	3	1●	4	2●	2	2●	2	3●	3	2×	2	1●	5						
15	4	1●	1	1×	1	1●	3	1●	2	3●	2	3●	2	2●	3	2×	2	2●	5				
16	4	1●	2	1●	5	1●	1	2●	2	2●	2	1●	3	3×	3	2●	6						
17	2●	2	2●	1	9●	2	2●	2	2×	1	3×	3	3●	7									
18	2●	3	3●	6	1●	2	1●	3	5×	3	3●	9											
19	1●	1	2●	1	2●	3	4●	2	1●	3	5×	6	2●	8									
20	1●	3	3●	3	1●	1	2●	1	1●	3	8×	5	3●	1	2●	3							
21	1●	1	1×	2	1●	3	5●	1	1●	2	7×	5	3●	3	3●	2							
22	1●	4	1●	4	4●	1	1●	3	4×	4	3●	4	3●	4									
23	1●	1	1×	2	1●	3	2●	1	2●	1	2●	8	2●	4	4●	6							
24	1●	4	1●	1	2●	2	1×	1	2●	1	9●	4	3●	1	1●	1	1●	5					
25	1●	1	1×	2	1●	1	1●	5	2●	11	6●	1	1●	3	2●	2							
26	1●	2	1×	1	14●	3	6●	1	1×	2	1●	4	2●	2									
27	1	1●	3	1●	5	1●	1	2×	1	7●	1×	1	1×	1	2●	1×	2	1●	3	2●	3		
28	2	4●	4	2●	1	2×	1	1●	2	1×	2	1●	2	1×	1	1●	1	2●	1	1●	2	2●	4
29	4	4●	2	1●	3	3●	2	1×	1	1●	1	1●	3	1●	3	4●	6						
30	5	3●	2	1●	1	3●	1	1●	3	2●	2	4●	3	1●	3	1×	1	1×	3				
31	4	10●	3	1●	2	1●	5	1●	1	2●	1×	6	1×	3									
32	3	2●	2	1×	2	2●	6	2●	4	4●	2	1×	5	1×	4								
33	3	1●	2	3×	3	12●	3	1●	1×	3	1×	1	1×	3	2●	1							
34	4●	2	2×	4	2●	1	1×	7	1×	3	1●	1	2●	4	3●	3							

無印＝青つや消し（DB-325）
●＝焦金カット（DB-22）
×＝本金（A-712）

家紋（ミニポーチ）　15ページ

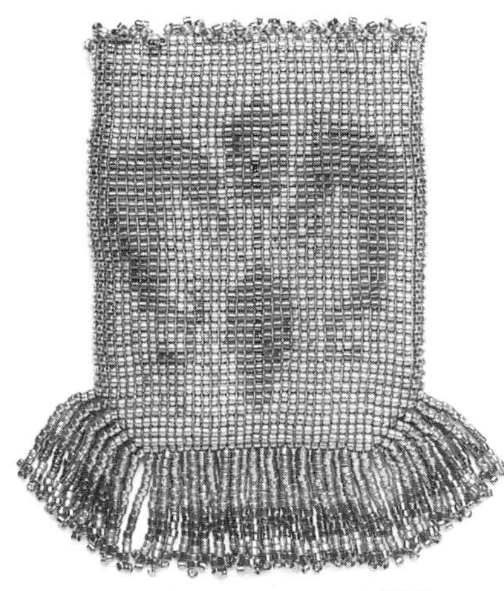

●材料

ビーズ…ニッケル（A-721）20g　ワイン（A-332）4g

チャコールグレー（A-90）1g

糸…グレー50m巻　プティホック1コ　裏地サテンワイン色

20cm×10cm

●目数と段数 39目41段

●タテ糸の寸法 60cm×40本

●フリンジ 17粒×52本　ニッケル8粒、ワイン1粒、チャコールグレー3粒、ニッケル2粒、ワイン3粒（ピコット）

目数表

無印＝ニッケル（A-721）
○＝ワイン（A-332）
×＝チャコールグレー（A-90）

1	39														
2	39														
3	39														
4	39														
5	39														
6	39														
7	19	1○	19												
8	18	3○	18												
9	17	5○	17												
10	8	3○	5	3○	1×	3○	5	3○	8						
11	6	6○	4	3○	1×	3○	4	6○	6						
12	4	9○	3	3○	1×	3○	3	9○	4						
13	3	11○	2	3○	1×	3○	2	11○	3						
14	3	12○	1	3○	1×	3○	1	12○	3						
15	3	12○	2	2○	1×	2○	2	12○	3						
16	3	7○	1	4○	2	5○	2	4○	1	7○	3				
17	3	6○	3	3○	3	3○	3	3○	3	6○	3				
18	3	6○	5	2○	7	2○	5	6○	3						
19	3	5○	7	1○	3	1×	3	1○	7	5○	3				
20	4	4○	5	1○	1	1○	3	1×	3	1○	1	1○	5	4○	4
21	4	4○	6	1○	4	1×	4	1○	6	4○	4				
22	4	4○	23	4○	4										
23	5	3○	11	1○	11	3○	5								
24	5	4○	9	3○	9	4○	5								
25	5	4○	8	2○	1×	2○	8	4○	5						
26	6	3○	7	3○	1×	3○	7	3○	6						
27	6	4○	6	3○	1×	3○	6	4○	6						
28	8	4○	4	3○	1×	3○	4	4○	8						
29	10	2○	4	3○	1×	3○	4	2○	10						
30	11	1○	4	3○	1×	3○	4	1○	11						
31	8	1○	2	1○	4	3○	1×	3○	4	1○	2	1○	8		
32	8	4○	5	2○	1×	2○	5	4○	8						
33	17	2○	1×	2○	17										
34	18	1○	1×	1○	18										
35	18	3○	18												
36	①	17	3○	17	①										
37	②	17	1○	17	②										
38	③	33	③												
39	④	31	④												
40	⑤	29	⑤												
41	⑥	27	⑥												

35	3	1●	1	1×	5	3●	2	1×	7	1×	2	1●	4	4●	5	
36	1●	2	1●	3	5●	2	1●	3	1×	6	1×	2	1●	12		
37	9●	5	2●	3	1×	1	1×	1	1×	5	1●	11				
38	1●	6	1●	8	2●	10	4●	9								
39	1●	5	3●	8	11●	13										
40	1●	2	1●	2	2●	7	7●	8	3●	8						
41	1	3●	2	2●	4	3●	2	1×	1	2●	1	2●	4	5●	8	
42	5●	1	2●	4	1●	3	1×	1	1●	2	2●	4	1●	13		
43	1●	3	1●	1	2●	2	2●	3	1×	1	1●	3	2●	6	1●	11
44	5	2●	2	2●	4	1×	1	1●	2	1●	3	2●	4	4●	7	
45	8	2●	5	1×	2●	2	1●	3	2●	8	3●	4				
46	8	1●	4	1●	1	1×	1	1●	3	1●	2	1●	1	8●	7	
47	8	1●	3	2●	1	1×	1	1●	3	3●	4	3●	10			
48	①	6	2●	3	2●	1	1×	1	1●	22	①					
49	②	5	1●	3	1●	1	1●	1	1×	1	1●	21	②			
50	③	4	1●	3	1●	1	1●	1	1×	1	2●	19	③			
51	④	3	1●	2	1●	2	1●	1	1×	2	2●	17	④			
52	⑤	2	1●	2	1●	2	1●	1	1×	3	2●	15	⑤			
53	⑥	1	2●	1	1●	2	1●	1	2×	4	2●	12	⑥			
54	⑦	1	1●	1	1●	2	1●	2	2×	4	7●	5	⑦			
55	⑧	1●	1	1●	3	2●	1	3×	13	⑧						
56	⑨	1	1●	4	2●	2	7×	6	⑨							
57	⑩	6	4●	11	⑩											
58	⑪	8	6●	5	⑪											
59	⑫	17	⑫													
60	⑬	15	⑬													
61	⑭	13	⑭													
62	⑮	11	⑮													
63	⑯	9	⑯													
64	⑰	7	⑰													
65	⑱	5	⑱													
66	⑲	3	⑲													
67	⑳	1	⑳													

パラソル（ブローチ）

13ページ

●材料

ビーズ…紫（A-461 ）6g　本金（A-712）　グリーン（DB-27）　黄緑（DB-60）　紫（DB-74）　青（DB-76）　焦金（DB-22）　オレンジ（DB-68）　うす茶（DB-102）各2g

糸…グレー50m巻　コサージピン1コ

●目数と段数　52目×39段（パラソル）　7目×74段（柄）

●タテ糸の本数　53本

●フリンジ　10粒×52本　紫8粒、本金2粒

ポイント

①シートを織り上げ、横とじをして袋状にし、フリンジを52本つける。
②柄の部分のシートも棒状に横とじする。
③袋状のシートの中に柄を入れて固定させ、ブローチピンをつける。

目数表

1	⑩		32○		⑩																						
2	⑨		34○		⑨																						
3	⑧		2○	16	3△	6	2×	5	2○		⑧																
4	⑦		2○	5	2△	3	2△	2	3×	6	5△	1×	5	2○		⑦											
5	⑤		2○	2	1×	3	2×	5▲	2△	1	2×	3□	3	2□	3△	9	2○		⑤								
6	④		2○	2	3×	1	2×	3▲	2○	2▲	1△	2	1△	4□	2◎	1	1□	1×	6	2▲	4	2○		④			
7	②		2○	2	1×	3△	1×	1	2×	1△	4▲	6	1△	3□	1◎	2	1□	2×	4	4▲	1	2×	2	2○		②	
8	①		2○	3	1×	3△	1×	3	1×	4▲	1×	4	3△	3□	1	1□	3△	1×	2	3▲	1○	2▲	2×	3	2○		①
9			2○	2	3◎	4△	1×	1	2×	3△	2×	4	1×	3△	4□	3△	1×	2	2▲	2○	2▲	3×	3	2○			
10			3	2◎	2	2◎	3△	1	4×	1	1×	5	1×	3△	1	4△	2×	4	4▲	2×	1	2×	4				
11	①		1	1×	4◎	1	2◎	1	1×	1	2△	10	3△	2	3△	8	3×	2	2×	3		①					
12	②		1×	2◎	1○	4◎	1×	10	3●	2	1×	1	3△	10	2×	3	2×	2		②							
13	③		1◎	4	1◎	3△	2	3▲	4	3●	4	3▲	4	3●	3	1×	5	1×	1		③						
14	④		4◎	4△	2	3▲	4	3●	4	3▲	4	3●	10		④												
15	⑤		2	3●	4	3▲	18	3●	4	3▲	2		⑤														
16	⑥		1	3●	8	16○	8	3▲	1		⑥																
17	⑥		1	3●	7	18○	7	3▲	1		⑥																
18	⑦		9	2○	6⧖	2×	8⧖	2○	9		⑦																
19	⑧		7	2○	4⧖	1×	2⧖	2×	4⧖	1▲	4⧖	2○	7		⑧												
20	⑧		6	2○	4⧖	2×	1⧖	3△	2⧖	2●	2△	1⧖	2□	1⧖	2○	6		⑧									
21	⑨		4	2○	2⧖	2△	3×	1⧖	3△	1×	2●	3△	4□	1⧖	2○	4		⑨									
22	⑩		2	2○	4⧖	3△	4□	1△	1×	1⧖	1△	2▲	1△	4□	1⧖	1×	2○	2		⑩							
23	⑪		2○	2⧖	1×	2⧖	3△	4□	1△	1×	1⧖	1▲	1○	1□	1⧖	3□	3△	1	2○		⑪						
24	⑫		3⧖	2×	1⧖	2□	1⧖	4●	1×	2⧖	1▲	1○	1⧖	1▲	3●	3△	2⧖		⑫								
25	⑬		2⧖	3△	3□	4●	3□	1⧖	2▲	1⧖	3●	1⧖	1△	2⧖		⑬											
26	⑭		2⧖	2△	3□	2⧖	2●	4□	2×	2⧖	2△	3⧖		⑭													
27	⑭		1⧖	2△	1⧖	2△	1⧖	1×	2⧖	1△	1□	2○	1□	2×	1⧖	3△	3⧖		⑭								
28	⑮		2△	2⧖	1△	1○	1△	1⧖	2△	2□	3×	1⧖	3△	3×		⑮											
29	⑯		3⧖	3△	1⧖	3⧖	1□	4⧖	2△	3⧖		⑯															
30	⑰		3⧖	6△	2⧖	1○	2⧖	2△	2⧖		⑰																
31	⑱		8△	1⧖	1△	3	1△	2⧖		⑱																	
32	⑱		2△	2◎	4△	1⧖	2△	1⧖	2△	2⧖		⑱															
33	⑲		1⧖	2◎	10	1◎		⑲																			
34	⑳		2◎	6△	2◎	1△	1◎		⑳																		
35	㉑		2△	1◎	5△	2◎		㉑																			
36	㉑		2△	2◎	5△	1◎		㉑																			
37	㉒		2◎	6△		㉒																					
38	㉓		6△		㉓																						
39	㉔		4△		㉔																						

無印＝紫（A-461）
○＝本金（A-712）
△＝グリーン（DB-27）
×＝黄緑（DB-60）
□＝紫（DB-74）
▲＝青（DB-76）
●＝オレンジ（DB-68）
◎＝焦金（DB-22）
⧖＝うす茶（DB-102）

パラソルの柄

1	7○
2	7
〜	
6	7
7	7○
8	7
〜	
12	7
13	7○
14	7
〜	
18	7
19	7○
20	7
〜	
24	7
25	7○
26	7
〜	
80	7

古典(巾着)　15ページ

●材料
ビーズ…うす紫(DB-108)140g　本金(DB-31)20g　ニッケルカット(DB-21)10g　銀(DB-41)23g　グリーン(DB-27)6g
糸…グレー500m巻　裏地白サテン30cm×40cm2枚
●目数と段数　61目×140段(Aのシート2枚)
61目×139段(Bのシート2枚)
●タテ糸の本数　62本(Aのシート)
62本(Bのシート)
●ひも　7目×200段2本

ポイント
①AのシートBのシートそれぞれ2枚織り、4枚をはぎ合わせる。
②フリンジをつけ、ひもつけをする。
③裏布を縫ってとじる。
④ゴムひもを通して仕上げる。

目数表はP.78に掲載

野バラ(ポシェット)　22ページ

●材料
ビーズ…黒(A-49)50g　焦金(DB-22)20g　茶つや消し(DB-322)50g　青つや消し(DB-301)20g　黄緑(DB-60)8g　ニッケル(DB-21)8g　本銀(DB-35)8g　焦茶つや消し(DB-312)8g　水色(DB-78)8g　うすピンク(DB-106)8g　深緑(DB-24)8g　黒つや消し(DB-310)8g　赤(DB-105)8g　焦金カット(DB-22)
糸…グレー500m巻　裏地黒サテン30×40cm　ファスナー黒13cm
●目数と段数　126目×88段
●タテ糸の本数　127本
●ひも　7目×105cm

ポイント
①127本のタテ糸を張る。
②目数表に従ってシートを織る。
③織り終ったら丸みのタテ糸を引いた後、糸始末をして、シートを二つ折りにして横とじする。
④内袋をとじて、ファスナーをつける。
⑤ひもは目数7目（黒1粒、茶つや消し2粒、黒1粒、茶つや消し2粒、黒1粒）を約105cm織って、両脇にとじつける。

目数表はP.80に掲載

無印＝うす紫
（DB-108、DB-31ミックス）
×＝ニッケルカット（DB-21）
○＝銀（DB-41）
△＝グリーン（DB-27）
●＝本金（DB-31）

1 シートA、シートBを各2枚織る

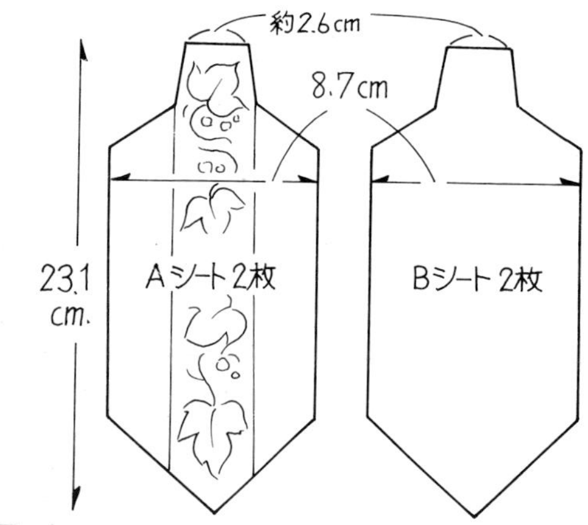

2 フリンジのつけ位置

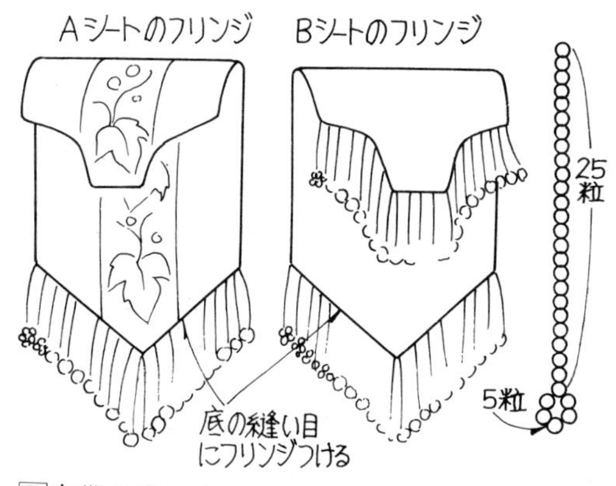

3 内袋の縫い方

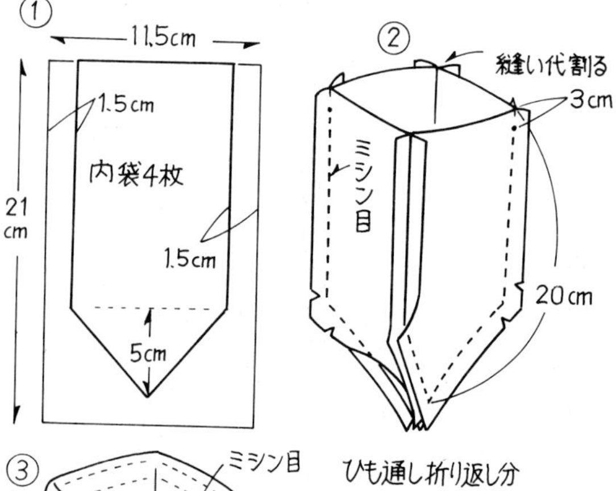

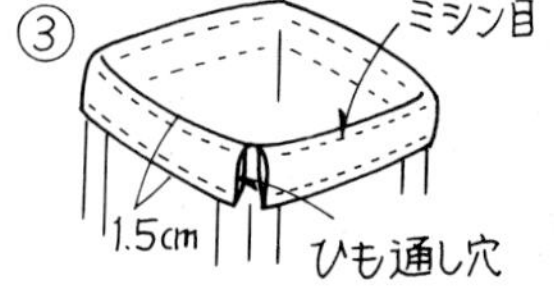

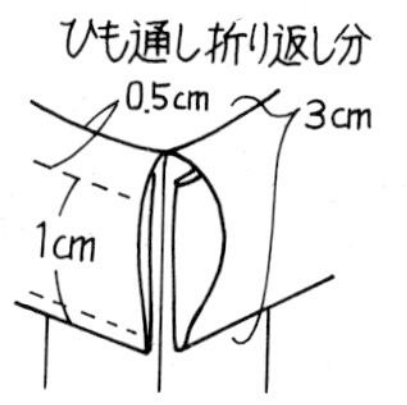

目数表

シートA

1		㉚		1○		㉚												
2		㉙		3○		㉙												
3		㉘		5○		㉘												
4		㉗		7○		㉗												
5		㉖		9○		㉖												
6		㉕		11○		㉕												
7		㉔		13○		㉔												
8		㉓		15○		㉓												
9		㉒		5○	1×	10○		㉒										
10		㉑		6○	2×	10○		㉑										
11		⑳		6○	5×	10○		⑳										
12		⑲		7○	6×	10○		⑲										
13		⑱		7○	2×	1△	4×	6○	1×	4○		⑱						
14		⑰		8○	2×	1△	6×	3○	2×	5○		⑰						
15		⑯		1	8○	2×	1△	6×	2○	4×	4○	1		⑯				
16		⑮		2	8○	2×	2△	2×	1△	2×	1○	5×	4○	2		⑮		
17		⑭		3	7○	4×	1△	2×	1△	2×	1○	5×	4○	3		⑭		
18		⑬		4	7○	2×	1△	1×	3△	6×	1△	3×	3○	4		⑬		
19		⑫		5	8○	2×	3△	7×	1△	3×	3○	5		⑫				
20		⑪		6	9○	3×	1△	6×	2△	2×	4○	6		⑪				
21		⑩		7	5○	7×	2△	4×	2△	3×	4○	7		⑩				
22		⑨		8	5○	8×	6△	3×	5○	8		⑨						
23		⑧		9	6○	2×	2△	4×	2△	3×	1△	4×	3○	9		⑧		
24		⑦		10	7○	3×	6△	1○	7×	3○	10		⑦					
25		⑥		11	8○	6×	1△	1×	2○	4×	5○	11		⑥				
26		⑤		12	7○	6×	1△	2×	3○	2△	6○	12		⑤				
27		④		13	11○	2×	1△	2×	4○	1△	6○	13		④				
28		③		14	3○	3△	5○	4×	5○	1△	6○	14		③				
29		②		15	3○	1△	2○	1△	4○	3×	6○	3△	4○	15		②		
30		①		16	3○	1△	2○	1△	7○	2●	4○	1△	1○	1△	4○	16		①
31	17	5○	1△	7○	4●	3○	1△	1○	1△	4○	17							
32	17	6○	1△	6○	4●	2○	2△	1○	1△	4○	17							
33	17	6○	1△	3○	2×	2○	2●	2○	2△	2○	1△	4○	17					
34	17	7○	2△	4×	5△	1○	1△	1○	1△	5○	17							
35	17	9○	4×	2○	2●	1○	1△	2○	1△	5○	17							
36	17	2○	1△	7○	2×	2○	4●	3○	1△	1○	1△	1○	1△	1○	17			
37	17	1○	1△	12○	4●	3○	1△	3○	1△	1○	17							
38	17	1○	1△	5○	2●	2○	2△	1○	1△	2●	4○	1△	3○	1△	1○	17		
39	17	2○	2△	2○	4●	1△	2○	1△	6○	1△	1○	3△	2○	17				
40	17	4○	2△	4●	2○	1△	3○	1×	3○	1△	6○	17						
41	17	7○	2●	2○	1△	3○	2×	4○	3△	3○	17							
42	17	11○	1△	1○	5×	9○	17											
43	17	12○	6×	9○	17													
44	17	5○	1×	6○	4×	1△	2×	8○	17									
45	17	5○	2×	3○	6×	1△	2×	8○	17									
46	17	4○	4×	2○	6×	1△	2×	8○	17									
47	17	4○	5×	1○	3×	1△	1×	2△	2×	8○	17							
48	17	4○	5×	1○	3×	1△	1×	1△	4×	7○	17							
49	17	3○	3×	1△	7×	2△	1×	1△	2×	7○	17							
50	17	3○	3×	1△	7×	3△	2×	8○	17									
51	17	4○	2×	2△	6×	1△	3×	9○	17									
52	17	4○	3×	2△	4×	2△	7×	5○	17									
53	17	5○	3×	6△	8×	5○	17											
54	17	3○	4×	1△	3×	2△	4×	2△	2×	6○	17							
55	17	3○	7×	1○	6△	3×	7○	17										

56	17	5○	4×	2○	1×	1△	6×	8○	17							
57	17	6○	2△	3○	2×	1△	6×	7○	17							
58	17	6○	1△	4○	2×	1△	2×	11○	17							
59	17	6○	1△	5○	4×	5○	3△	3○	17							
60	17	4○	3△	6○	3×	4○	1△	2○	1△	3○	17					
61	17	4○	1△	1○	1△	4○	2●	7○	1△	2○	1△	3○	17			
62	17	4○	1△	1○	1△	3○	4●	7○	1△	5○	17					
63	17	4○	1△	1○	2△	2○	4●	6○	1△	6○	17					
64	17	4○	1△	2○	2△	2○	2●	2○	2×	3○	1△	6○	17			
65	17	5○	1△	1○	1△	1○	5△	4×	2△	7○	17					
66	17	5○	1△	2○	1△	1○	2●	2○	4×	9○	17					
67	17	1○	1△	1○	1△	1○	1△	3○	4●	2○	2×	7○	1△	2○	17	
68	17	1○	1△	3○	1△	3○	4●	12○	1△	1○	17					
69	17	1○	1△	3○	1△	4○	2●	1△	1○	2△	2○	2●	5○	1△	1○	17
70	17	2○	3△	1○	1△	6○	1△	2○	1△	4●	2○	2△	2○	17		
71	17	6○	1△	3○	1×	3○	1△	2○	4●	2△	4○	17				
72	17	3○	3△	4○	2×	3○	1△	2○	2●	7○	17					
73	17	9○	5×	1○	1△	11	17									
74	17	9○	6×	12	17											
75	17	8○	2×	1△	4×	6○	1×	5○	17							
76	17	8○	2×	1△	6×	3○	2×	5○	17							
77	17	8○	2×	1△	6×	2○	4×	4○	17							
78	17	8○	2×	2△	2×	1△	2×	1○	5×	4○	17					
79	17	7○	4×	1△	2×	1△	2×	1○	5×	4○	17					
80	17	7○	2×	1△	1×	3△	6×	1△	3×	3○	17					
81	17	8○	2×	3△	7×	1△	3×	3○	17							
82	17	9○	3×	1△	6×	2△	2×	4○	17							
83	17	5○	7×	2△	4×	2△	3×	4○	17							
84	17	5○	8×	6△	3×	5○	17				17					
85	17	6○	2×	2△	4×	2△	3×	1△	4×	3○	17					
86	17	7○	3×	6△	1○	7×	3○	17								
87	17	8○	6×	1△	1×	2○	4×	5○	17							
88	17	7○	6×	1△	2×	3○	2△	6○	17							
89	17	11	2×	1△	2×	4○	1△	6○	17							
90	17	3○	3△	5○	4×	5○	1△	6○	17							
91	17	3○	1△	2○	1△	4○	3×	6○	3△	4○	17					
92	17	3○	1△	2○	1△	7○	2●	4○	1△	1○	1△	4○	17			
93	17	5○	1△	7○	4●	3○	1△	1○	1△	4○	17					
94	17	6○	1△	6○	4●	2○	2△	1○	1△	4○	17					
95	17	6○	1△	3○	2●	2○	2●	2○	2△	2○	1△	4○	17			
96	17	7○	2△	4●	5△	1○	1△	1○	1△	5○	17					
97	17	9○	4●	2○	2●	1○	1△	2○	1△	5○	17					
98	17	2○	1△	7○	2●	2○	4●	3○	1△	1○	1△	1○	1△	1○	17	
99	17	1○	1△	12○	4●	3○	1△	3○	1△	1○	17					
100	17	1○	1△	5○	2×	2○	2△	1○	1△	2●	4○	1△	3○	1△	1○	17
101	17	2○	2△	2○	4×	1△	2○	1△	6○	1△	1○	3△	2○	17		
102	17	4○	2△	4×	2○	1△	7○	1△	6○	17						
103	17	7○	2×	2○	1△	9○	3△	3○	17							
104	17	11○	1△	15○	17											
105	17	27○	17													
106	17	27○	17													
107	17	11○	1△	15○	17											
108	17	7○	2×	2○	1△	9○	3△	3○	17							
109	17	4○	2△	4×	2○	1△	7○	1△	6○	17						
110	17	2○	2△	2○	4×	1△	2○	1△	6○	1△	1○	3△	2○	17		
111	17	1○	1△	5○	2×	2○	2△	1○	1△	2●	4○	1△	3○	1△	1○	17

112	17	1○	1△	12○	4●	3○	1△	3○	1△	1○	17					
113	17	2○	1△	7○	2●	2○	4●	3○	1△	1○	1△	1○	1△	1○	17	
114	17	9○	4●	2○	2●	1○	1△	2○	1△	5○	17					
115	17	7○	2△	4●	5△	1○	1△	1○	1△	5○	17					
116	17	6○	1△	3○	2●	2○	2●	2○	2△	2○	1△	4○	17			
117	17	6○	1△	6○	4●	2○	2△	1○	1△	4○	17					
118	17	5○	1△	7○	4●	3○	1△	1○	1△	4○	17					
119	17	3○	1△	2○	1△	7○	2●	4○	1△	1○	1△	4○	17			
120	17	3○	1△	2○	1△	4○	3×	6○	3△	4○	17					
121	17	3○	3△	5○	4×	5○	1△	6○	17							
122	17	11○	2×	1△	2×	4○	1△	6○	17							
123	17	7○	6×	1△	2×	3○	2△	6○	17							
124		②	15	8○	6×	1△	1×	2○	4×	5○	15		②			
125		④	13	7○	3×	6△	1○	7×	3○	13		④				
126		⑥	11	6○	2×	2△	4×	2△	3×	1△	4×	3○	11		⑥	
127		⑧	9	5○	8×	6△	3×	5○	9		⑧					
128		⑩	7	5○	7×	2△	4×	2△	3×	4○	7		⑩			
129		⑫	5	9○	3×	1△	6×	2△	2×	4○	5		⑫			
130		⑭	3	8○	2×	3△	7×	1△	3×	3○	3		⑭			
131		⑯	1	7○	2×	1△	1×	3△	6×	1△	3×	3○	1		⑯	
132		⑯	1	7○	4×	1△	2×	1△	2×	1○	5×	4○	1		⑯	
133		⑰	8○	2×	2△	2×	1△	2×	1○	5×	4○		⑰			
134		⑰	8○	2×	1△	6×	2○	4×	4○		⑰					
135		⑱	7○	2×	1△	6×	3○	2×	4○		⑱					
136		⑱	7○	2×	1△	4×	6○	1×	4○		⑱					
137		⑲	7○	6×	10○		⑲									
138		⑲	7○	5×	11○		⑲									
139		⑳	7○	2×	12○		⑳									
140		㉑	6○	1×	12○		㉑									

シートB

1		㉚		1		㉚
2		㉙		3		㉙
3		㉘		5		㉘
4		㉗		7		㉗
5		㉖		9		㉖
6		㉕		11		㉕
7		㉔		13		㉔
8		㉓		15		㉓
9		㉒		17		㉒
10		㉑		19		㉑
11		⑳		21		⑳
12		⑲		23		⑲
13		⑱		25		⑱
14		⑰		27		⑰
15		⑯		29		⑯
16		⑮		31		⑮
17		⑭		33		⑭
18		⑬		35		⑬
19		⑫		37		⑫
20		⑪		39		⑪
21		⑩		41		⑩
22		⑨		43		⑨
23		⑧		45		⑧
24		⑦		47		⑦
25		⑥		49		⑥

26		⑤		51		⑤
27		④		53		④
28		③		55		③
29		②		57		②
30		①		59		①
31		61				
≀						
122		61				
123		②		57		②
124		④		53		④
125		⑥		49		⑥
126		⑧		45		⑧
127		⑩		41		⑩
128		⑫		37		⑫
129		⑭		33		⑭
130		⑯		29		⑯
131		⑯		29		⑯
132		⑰		27		⑰
133		⑰		27		⑰
134		⑱		25		⑱
135		⑱		25		⑱
136		⑲		23		⑲
137		⑲		23		⑲
138		⑳		21		⑳
139		㉑		19		㉑

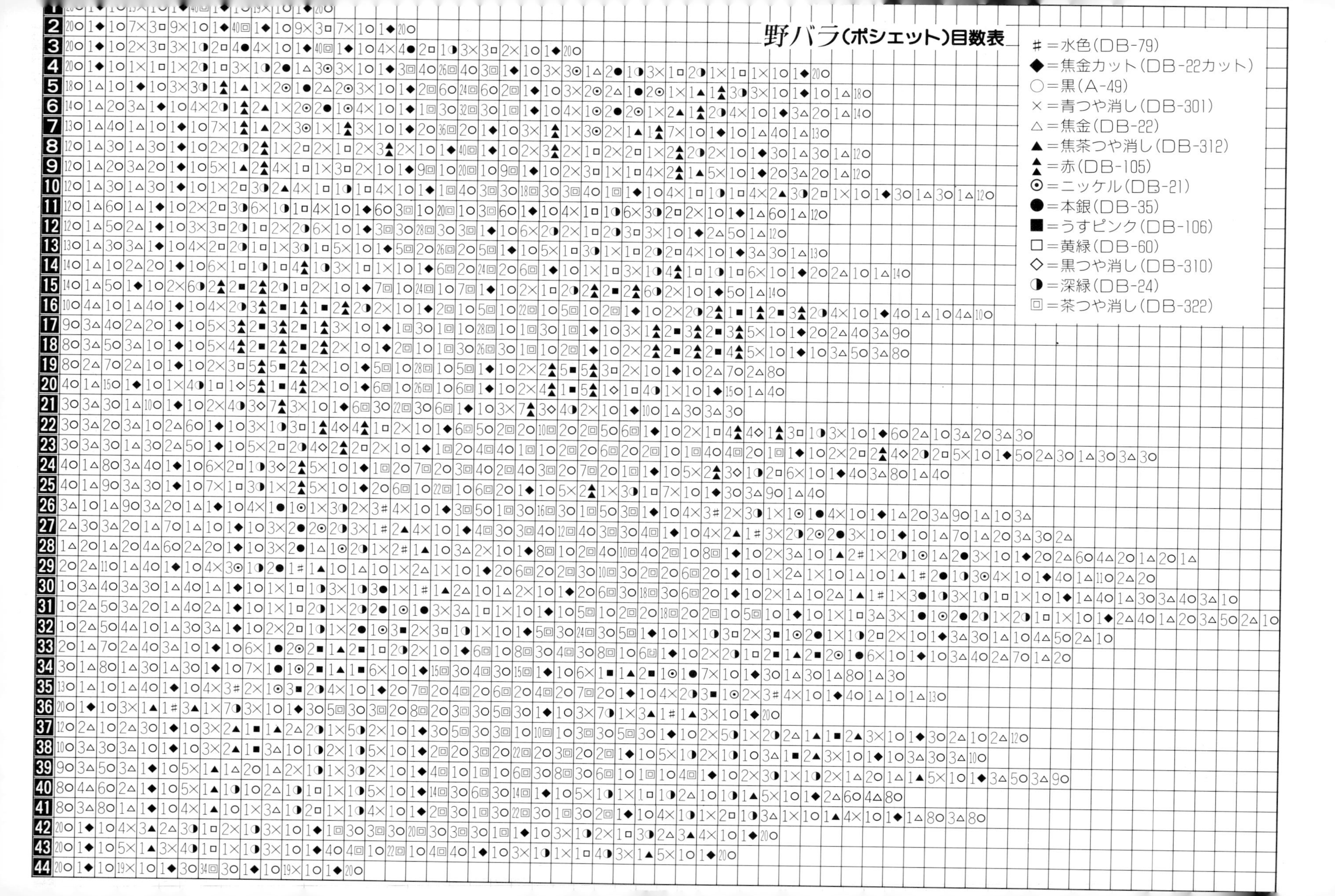

野バラ(ポシェット)目数表

♯＝水色(DB-79)
◆＝焦金カット(DB-22カット)
○＝黒(A-49)
×＝青つや消し(DB-301)
△＝焦金(DB-22)
▲＝焦茶つや消し(DB-312)
▲▲＝赤(DB-105)
⊙＝ニッケル(DB-21)
●＝本銀(DB-35)
■＝うすピンク(DB-106)
□＝黄緑(DB-60)
◇＝黒つや消し(DB-310)
◑＝深緑(DB-24)
⊡＝茶つや消し(DB-322)

1	20○1◆1○19×1○1◆40⊡1◆1○19×1○1◆20○
2	20○1◆1○7×3□9×1○1◆40⊡1◆1○9×3□7×1○1◆20○
3	20○1◆1○2×3□3×1◑2□4●4×1○1◆40⊡1◆1○4×4●2□1◑3×3□2×1○1◆20○
4	20○1◆1○1×1□1×2◑1□3×1◑2●1△3⊙3×1○1◆3⊡4○26⊡4○3⊡1◆1○3×3⊙1△2●1◑3×1□2◑1×1□1×1○1◆20○
5	18○1△1○1◆1○3×3◑1▲▲1▲1×2⊙1●2△2⊙3×1○1◆2⊡6○24⊡6○2⊡1◆1○3×2⊙2△1●2⊙1×1▲1▲▲3◑3×1○1◆1○1△18○
6	14○1△2○3△1◆1○4×2◑1▲▲2▲1×2⊙2●1⊙4×1○1◆1⊡3○32⊡3○1⊡1◆1○4×1⊙2●2⊙1×2▲1▲▲2◑4×1○1◆3△2○1△14○
7	13○1△4○1△1○1◆1○7×1▲▲1▲2×3⊙1×1▲▲3×1○1◆2○36⊡2○1◆1○3×1▲▲1×3⊙2×1▲1▲▲7×1○1◆1○1△4○1△13○
8	12○1△3○1△3○1◆1○2×2◑2▲▲1×2□2×1□2×3▲▲2×1○1◆40⊡1◆1○2×3▲▲2×1□2×2□1×2▲▲2◑2×1○1◆3○1△3○1△12○
9	12○1△2○3△2○1◆1○5×1▲2▲▲4×1□1×3□2×1○1◆9⊡1○20⊡1○9⊡1◆1○2×3□1×1□4×2▲▲1▲5×1○1◆2○3△2○1△12○
10	12○1△3○1△3○1◆1○1×2□3◑2▲4×1□1◑1□4×1○1◆1⊡4○3⊡3○18⊡3○3⊡4○1⊡1◆1○4×1□1◑1□4×2▲3◑2□1×1○1◆3○1△3○1△12○
11	12○1△6○1△1◆1○2×2□3◑6×1◑1□4×1○1◆6○3⊡1○20⊡1○3⊡6○1◆1○4×1□1◑6×3◑2□2×1○1◆1△6○1△12○
12	12○1△5○2△1◆1○3×3□2◑1□2×2◑6×1○1◆3⊡3○28⊡3○3⊡1◆1○6×2◑2×1□2◑3□3×1○1◆2△5○1△12○
13	13○1△3○3△1◆1○4×2□2◑1□1×3◑1□5×1○1◆5⊡2○26⊡2○5⊡1◆1○5×1□3◑1×1□2◑2□4×1○1◆3△3○1△13○
14	14○1△1○2△2○1◆1○6×1□1◑1□4▲▲1◑3×1□1×1○1◆6⊡2○24⊡2○6⊡1◆1○1×1□3×1◑4▲▲1□1◑1□6×1○1◆2○2△1○1△14○
15	14○1△5○1◆1○2×6◑2▲▲2■2▲▲2◑1□2×1○1◆7⊡1○24⊡1○7⊡1◆1○2×1□2◑2▲▲2■2▲▲6◑2×1○1◆5○1△14○
16	10○4△1○1△4○1◆1○4×2◑3▲▲2■1▲▲1■2▲▲2◑2×1○1◆2⊡1○5⊡1○22⊡1○5⊡1○2⊡1◆1○2×2◑2▲▲1■1▲▲2■3▲▲2◑4×1○1◆4○1△1○4△10○
17	9○3△4○2△2○1◆1○5×3▲▲2■3▲▲2■1▲▲3×1○1◆1⊡3○1⊡1○28⊡1○1⊡3○1⊡1◆1○3×1▲▲2■3▲▲2■3▲▲5×1○1◆2○2△4○3△9○
18	8○3△5○3△1○1◆1○5×4▲▲2■2▲▲2■2▲▲2×1○1◆2⊡1○1⊡3○26⊡3○1⊡1○2⊡1◆1○2×2▲▲2■2▲▲2■4▲▲5×1○1◆1○3△5○3△8○
19	8○2△7○2△1○1◆1○2×3□5▲▲5■2▲▲2×1○1◆5⊡1○28⊡1○5⊡1◆1○2×2▲▲5■5▲▲3□2×1○1◆1○2△7○2△8○
20	4○1△15○1◆1○1×4◑1□1◇5▲▲1■4▲▲2×1○1◆6⊡1○26⊡1○6⊡1◆1○2×4▲▲1■5▲▲1◇1□4◑1×1○1◆15○1△4○
21	3○3△3○1△10○1◆1○2×4◑3◇7▲▲3×1○1◆6⊡3○22⊡3○6⊡1◆1○3×7▲▲3◇4◑2×1○1◆10○1△3○3△3○
22	3○3△2○3△1○2△6○1◆1○3×1◑3□1▲▲4◇4▲▲1□2×1○1◆6⊡5○2⊡2○10⊡2○2⊡5○6⊡1◆1○2×1□4▲▲4◇1▲▲3□1◑3×1○1◆6○2△1○3△2○3△3○
23	3○3△3○1△3○2△5○1◆1○5×2□2◑4◇2▲▲2□2×1○1◆1⊡2○4⊡4○1⊡1○2⊡2○6⊡2○2⊡1○1⊡4○4⊡2○1⊡1◆1○2×2□2▲▲4◇2◑2□5×1○1◆5○2△3○1△3○3△3○
24	4○1△8○3△4○1◆1○6×2□1◑3◇2▲▲5×1○1◆1⊡2○7⊡2○3⊡4○2⊡4○3⊡2○7⊡2○1⊡1◆1○5×2▲▲3◇1◑2□6×1○1◆4○3△8○1△4○
25	4○1△9○3△3○1◆1○7×1□3◑1×2▲▲5×1○1◆2○6⊡1○22⊡1○6⊡2○1◆1○5×2▲▲1×3◑1□7×1○1◆3○3△9○1△4○
26	3△1○1△9○3△2○1△1◆1○4×1●1⊙1×3◑2×3♯4×1○1◆3⊡5○1⊡3○16⊡3○1⊡5○3⊡1◆1○4×3♯2×3◑1×1⊙1●4×1○1◆1△2○3△9○1△1○3△
27	2△3○3△2○1△7○1△1○1◆1○3×2●2⊙2◑3×1♯2▲4×1○1◆4⊡3○3⊡4○12⊡4○3⊡3○4⊡1◆1○4×2▲1♯3×2◑2⊙2●3×1○1◆1○1△7○1△2○3△3○2△
28	1△2○1△2○4△6○2△2○1◆1○3×2●1△1⊙2◑1×2♯1▲1○3△2×1○1◆8⊡1○2⊡4○10⊡4○2⊡1○8⊡1◆1○2×3△1○1▲2♯1×2◑1⊙1△2●3×1○1◆2○2△6○4△2○1△2○1△
29	2○2△11○1△4○1◆1○4×3⊙1◑2●1♯1▲1○1△1○1×2△1×1○1◆2○6⊡2○2⊡3○10⊡3○2⊡2○6⊡2○1◆1○1×2△1×1○1△1○1▲1♯2●1◑3⊙4×1○1◆4○1△11○2△2○
30	1○3△4○3△3○1△4○1△1◆1○1×1□1◑3×1◑3●1×1♯1▲2△1○1△2×1○1◆2○6⊡3○18⊡3○6⊡2○1◆1○2×1△1○2△1▲1♯1×3●1◑3×1◑1□1×1○1◆1△4○1△3○3△4○3△1○
31	1○2△5○3△2○1△4○2△1◆1○1×1□2◑1×2◑2●1⊙1●3×3△1□1×1○1◆1○5⊡1○2⊡2○18⊡2○2⊡1○5⊡1○1◆1○1×1□3△3×1●1⊙2●2◑1×2◑1□1×1○1◆2△4○1△2○3△5○2△1○
32	1○2△5○4△1○1△3○3△1◆1○2×2□1◑1×2●1⊙3■2×3□1◑1×1○1◆5⊡3○24⊡3○5⊡1◆1○1×1◑3□2×3■1⊙2●1×1◑2□2×1○1◆3△3○1△1○4△5○2△1○
33	2○1△7○2△4○3△1○1◆1○6×1●2⊙2■1▲2■1□2◑2×1○1◆6⊡1○8⊡3○4⊡3○8⊡1○6⊡1◆1○2×2◑1□2■1▲2■2⊙1●6×1○1◆1○3△4○2△7○1△2○
34	3○1△8○1△3○1△3○1◆1○7×1●1⊙2■1▲1■6×1○1◆15⊡3○4⊡3○15⊡1◆1○6×1■1▲2■1⊙1●7×1○1◆3○1△3○1△8○1△3○
35	13○1△1○1△4○1◆1○4×3♯2×1⊙3■2◑4×1○1◆2○7⊡2○4⊡2○6⊡2○4⊡2○7⊡2○1◆1○4×2◑3■1⊙2×3♯4×1○1◆4○1△1○1△13○
36	20○1◆1○3×1▲1♯3▲1×7◑3×1○1◆3○5⊡3○3⊡2○8⊡2○3⊡3○5⊡3○1◆1○3×7◑1×3▲1♯1▲3×1○1◆20○
37	12○2△1○2△3○1◆1○3×2▲1■1▲2△2◑1×5◑2×1○1◆3○5⊡3○3⊡1○10⊡1○3⊡3○5⊡3○1◆1○2×5◑1×2◑2△1▲1■2▲3×1○1◆3○2△1○2△12○
38	10○3△3○3△1○1◆1○3×2▲1■3△1○1◑2×1◑5×1○1◆2⊡2○3⊡2○22⊡2○3⊡2○2⊡1◆1○5×1◑2×1◑1○3△1■2▲3×1○1◆1○3△3○3△10○
39	9○3△5○3△1◆1○5×1▲1△2○1△2×1◑1×3◑2×1○1◆4⊡1○1⊡1○6⊡3○8⊡3○6⊡1○1⊡1○4⊡1◆1○2×3◑1×1◑2×1△2○1△1▲5×1○1◆3△5○3△9○
40	8○4△6○2△1◆1○5×1▲1◑1○2△1◑1□1×1◑5×1○1◆14⊡3○6⊡3○14⊡1◆1○5×1◑1×1□1◑2△1○1◑1▲5×1○1◆2△6○4△8○
41	8○3△8○1△1◆1○4×1▲1○1×3△1◑2□1×1◑4×1○1◆2⊡3○1⊡3○22⊡3○1⊡3○2⊡1◆1○4×1◑1×2□1◑3△1×1○1▲4×1○1◆1△8○3△8○
42	20○1◆1○4×3▲2△3◑1□2×1◑3×1○1◆1⊡3○3⊡3○20⊡3○3⊡3○1⊡1◆1○3×1◑2×1□3◑2△3▲4×1○1◆20○
43	20○1◆1○5×1▲3×4◑1□1×1◑3×1○1◆4○4⊡1○22⊡1○4⊡4○1◆1○3×1◑1×1□4◑3×1▲5×1○1◆20○
44	20○1◆1○19×1○1◆3○34⊡3○1◆1○19×1○1◆20○

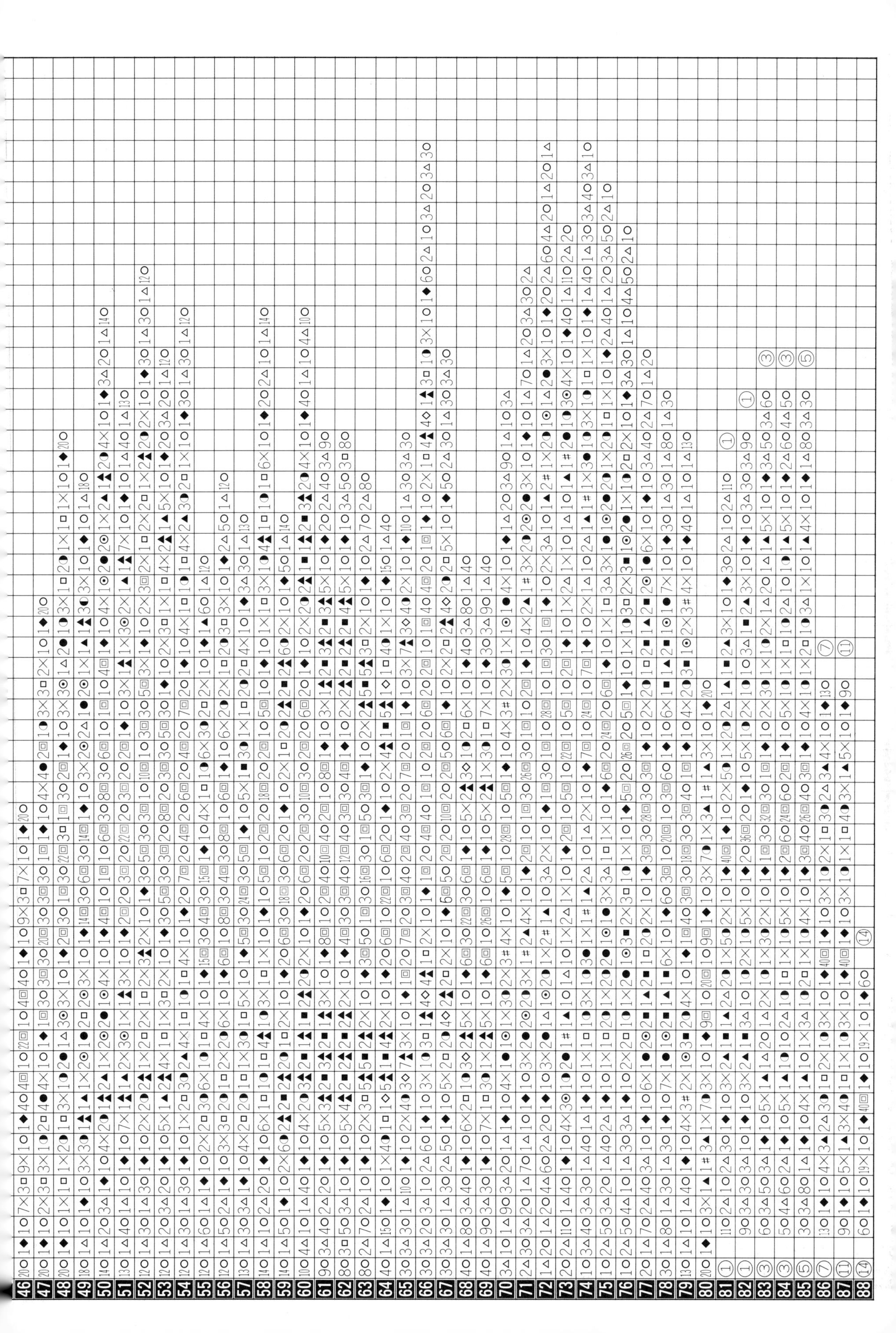

花の少女（ペンダント）――――――10ページ

29目の少し大きいペンダントです。少女のスカートを延長して、フリンジを沢山つけてボリュームを出し、裾は波型にしてフレヤースカートの雰囲気を出します。

ペンダントのボリュームがあるのでひもは2本どりにしてよりをかけて少し太くするとバランスよく安定感がでてきます。

さわやかな季節には明るい色を使ってみましょう。お花の柄はいつも図面が華やかになり色とりどりの花模様を考えながら織ると楽しいものです。

水晶（匂い袋）――――――2ページ

ペンダントをかねた袋物。中に匂いを入れたり、写真を入れたりおしゃれな小物。三角形を織り2枚合わせてループのフリンジをつけて動きを出しました。

フリンジは少しずつ長くして優雅に。ひもは4目で織って金具をつけます。

いろいろな型を織ってみるとビーズ織りの世界が広がります。

聖火（コサージ）――――――7ページ

赤の濃淡で大、中、小計16枚の花弁に3枚の葉を組み合わせます。（型紙はP.57のベアトリックス参照）

真赤なバラの花を胸もとやベルトにつけて見ましょう。

花びらは少しボンドをつけて形をととのえます。

ビーズの輝きが豪華ですが、何枚もシートを織り重ねるのでたいへん時間のかかる作品です。数を2～3枚の花びらでお花を作ると薄手のお洋服にも映えます。

木の葉（ペンダント）――――――9ページ

木の葉を3枚織って、ペンダントに仕上げました。シックな色におさえ、大人のムードがただよいます。

（P.57ベアトリックスの葉の型紙を使用した作品です。）

菱形（チョーカー）――――――13ページ

菱型のペンダントとひもを織ってビーズでつなぎました。ひもの先を1㎝折りまげてとじて、ひも通しを作りペンダントとひもを数回往復してつなぎ合せ、ひもの先にクラスプ（金具）をつけます。

小花（ブレスレット）―――――――13ページ

象牙色のビーズにワインの小花を織ったチョーカーは、数十年も前に織られたブレスレットを再現してみました。古きよき時代美しく着飾った貴婦人の舞踏会にお供をしたことでしょう。
思い切って幅広いチョーカーを明るい色合いで夏のおしゃれのポイントに工夫してみませんか。思いがけない宝物になりそうです。

レインボー（ペンダント）――――11ページ

少し広目のペンダントは一段とビーズ織りの美しさに輝きを添えます。裾の部分を先に向ってなめらかなカーブをつけてみました。

ひもはビーズでクサリの感じを取り入れて、シートとひものところでシートの模様を延長させて楽しい線を描きます。形を楽しむペンダントも面白い作品ができます。

チューリップ（ネックレス）――――12ページ

シルバーとゴールドを組み合わせた、上品な作品で、洋服にも合わせやすく便利です。

ひも部分の三つ編みは、P.55の作品三つ編みと同様です。ビーズの色や模様を変えるとイメージがかわります。

シリンダー（ネックレス）――――13ページ

21目×24段のシートを筒状に、5本同じものをつなぎ、ネックレスにしました。
シートの横とじはP.56の匂い袋を参照してください。

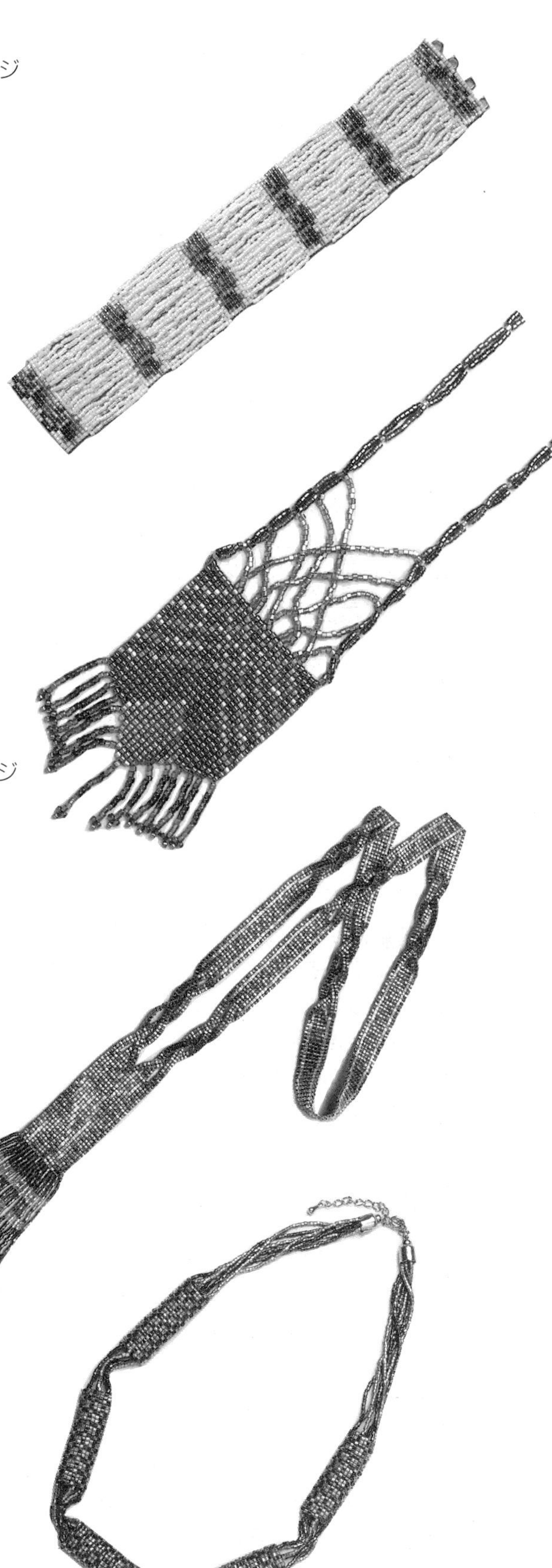

あじさい（額）――16ページ

12cm×15cmの大きさの中にあじさいが、色とりどりに咲いています。80目×80段このくらいの大きさの中ですと、かなり細い線の絵が描けます。葉のところどころにカットビーズを使って、雨上りの葉に輝きを出したり、アップの人物画も細い表情が出せます。

豊富にビーズのカラーが揃っていますから、お子様の絵を織ってあげるのも素敵なオリジナル作品となります。

１粒のビーズの位置で思いがけない効果が出たり、雰囲気が変ってしまうので、はじめは小さな面積で織ってみるとよいでしょう。１cm角で約７目６段になります。

あじさい

藤色のドレス

名画シリーズ

カラフルなマチスの絵はタペストリーに織ってお部屋に映えます。

ビアズリーの花から

エジプト風のカーテンのある中近東の室内

藤色のドレス（額）――16ページ

35cm×26.5cm

エジプト風のカーテンのある中近東の室内（タペストリー）

39.5cm×26.5cm

ビアズリーの花から（タペストリー）――17ページ

32.5cm×21.5cm

バラ（テーブル花）――17ページ

シックなバラを束ねて、テーブル花にアレンジしてみました。ビーズの輝きが美しい光をはなち、お客様へのおもてなしにも一層心がかよいます。

花盗賊（パーティバッグ）――――18ページ

メタリックに輝くニッケル地に、銀色のリボンがひらひら優雅にゆれて優しさが伝わります。素敵な花かごをそっとリボンで結び大切にしまっておきたかったのです。

シンプルな色合いはパーティや改まったお席で洋服にも和服にもマッチして上品な美しさが映えます。

一つは作ってみたいハンドバッグ。美しい模様の図を参考にして、挑戦してみましょう。

花園（パーティバッグ）――――19ページ

裾に段々のカーブを描きフリングを思いきりたっぷりつけた美しいバッグです。
中央に5色のバラの花をならべました。
バッグの口金付けは、肩のところでシートをたっぷりかぶせるように付けます。内袋も浮き上らないように気をつけます。

クローバー（小物入れ）――――13ページ

クローバーの模様の可愛い小物入れ。小さな小物入れはやさしくできるので、美しい写真や図鑑などを参考にして、オリジナルなデザインで織ってみましょう。さげひもをつけると持ちやすくなり、口元を巾着にして、型をいろいろ工夫すると愛らしい作品になります。ひもは2本どりに糸を張って丈夫に作りましょう。

バラのポーチ（小物入れ）――――14ページ

昔、上流社会の婦人たちに愛用された、ゴージャスなパーティバッグ、観劇用のバッグやコンパクト入れ。自分で織った素敵なバッグをさりげなく持てたらどんなに嬉しいことでしょう。

外側に本金カットで縁どりして、バラの花は淡い色合いでピンクと白でまとめ、赤い小花をあしらって女らしさを出します。フリンジも淡い色合いで小さなさざ波を出しちょっと贅沢な雰囲気のポーチです。

リボン（ポシェット）――――――――6ページ

黒の濃淡つや消しで布の感じを出し、中央にリボンをつけて可愛らしさを出しました。リボンの縁のゴールドが輝きます。
黒のみで織るので作業は単純です。ひもの部分もつや消しと黒を合わせておしゃれっぽくしています。
3cmのマチをつけて物が入りやすくし、長いファスナーを両サイドに4cmずつさげて、口を広くして使いやすくしています。ベルト通しをつけてウエストバッグとしても利用できます。

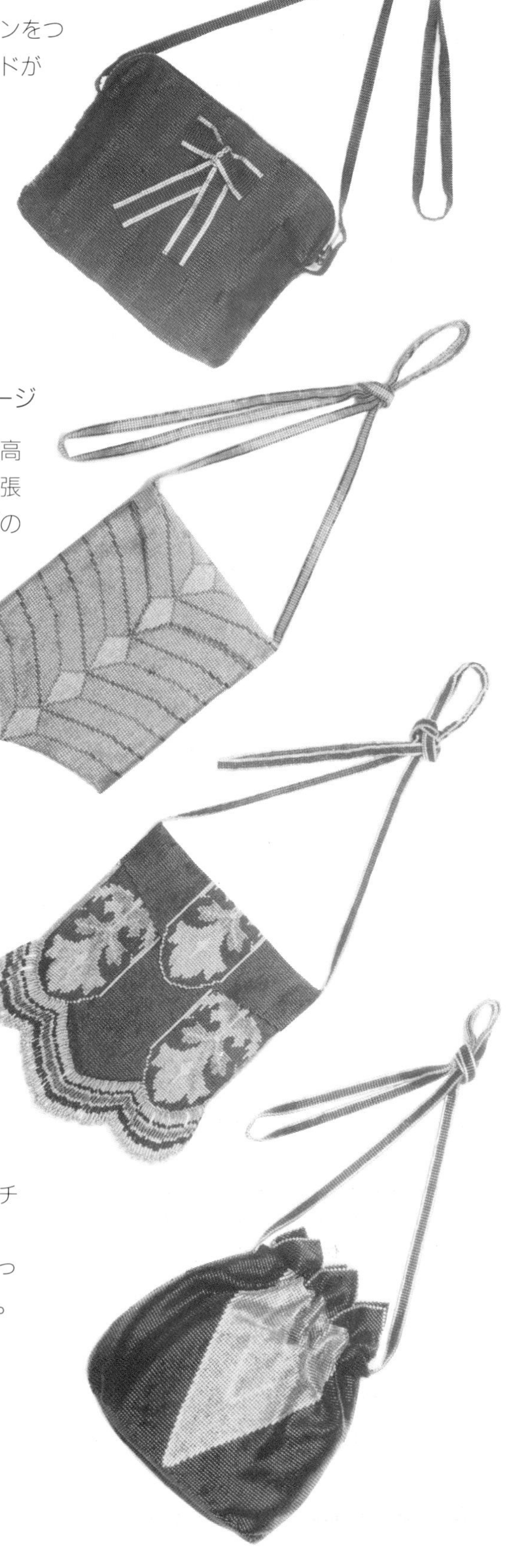

ブリリアン（ポシェット）――――5ページ

シャープな型と模様を生かして全体をゴールドで高級感を出しています。裏地に芯地を張ってシートに張りを出し、ファスナーを2段下げて付けるとバッグの型がしっかりします。

アイリス（ポシェット）――――4ページ

黒のおしゃれっぽいポシェットに図案の面白さを出しました。中央の模様が後からつづいています。シックなバッグの裾に、ゴールドでたっぷりフリンジをつけて豪華さを出しています。
黒をベースにすると、ビーズ織りのしなやかさと豪華さが、パーティバッグに最適です。
糸の引きかげん織りかげんに気をつけて、やわらかく織りましょう。裾が3段のカーブになっているので、むずかしい作品の一つです。模様の一つをブローチに織ってペアーでおしゃれをするとおもしろいでしょう。

コメット（ポシェット）――――4ページ

口の部分に三角のフリルをつけて底には幅広いマチをつけました。
小さく見えてもマチをつけるとたくさんものが入って便利です。底の部分を別に織ってとじつけました。

辻が花（パーティバッグ）———24ページ

美しい絵模様をしぼり染めした辻が花。4、5年前でしたか、華やかで格調高い一竹辻が花染を拝見したとき、私はその美しさに、まさにすいこまれるような気持ちでした。

優しさと重厚さ、ゆるやかな線と、繊細な色彩にすっかり感動し、それをビーズ織りに再現してみたのがこの作品です。何度も織り返していますが、これからも心を込めて1㎝ずつ何度でも織り直してみたいと思っています。

大切にしまってある着物の絵柄を、バッグに織ってみるのも楽しいと思います。

思い出（パーティバッグ）———20ページ

15年前ヨーロッパからのお土産に頂いた私の宝物ゴブラン織りのメガネケース、そのあざやかな色彩と美しさをたどって色とりどりのお花を、ビーズ織りのバッグに仕立ててみました。

ローズ（パーティバッグ）———表カバー

メタリックな輝きのニッケルカットビーズでアンティークな感じを出し、中央に真紅のバラを織りました。全体にシックな感じで幅広く持てるバッグです。囲みの内側を明るい色にして外側に濃いほかの色を使いわけると、またすっかり雰囲気の違ったバッグで、華やかになるでしょう。

バラのお花を美しく縁どり、底はゆるやかな丸みで優しさを出しました。観劇や音楽会など楽しい集いをロマンティックに。

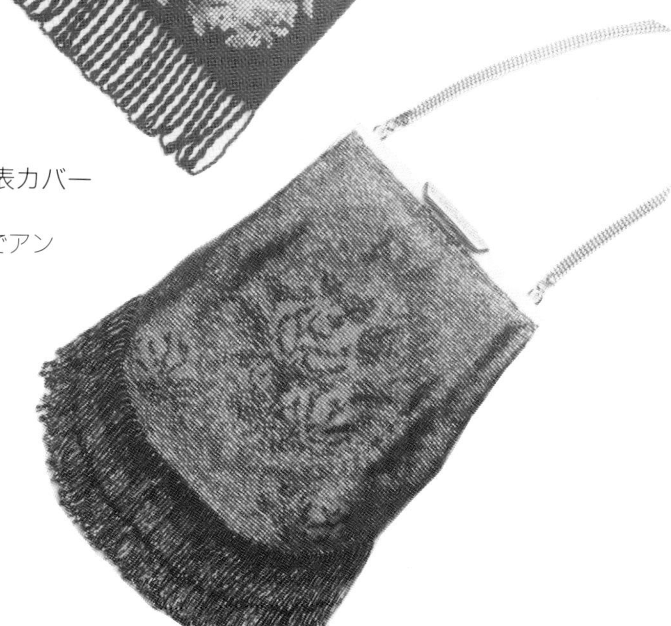

サコ タカコ・創作ビーズ織り教室一覧

教室	〒	住所	電話
本部事務局	〒141	東京都品川区北品川5-8-15-102	☎03(3473)3264
NHK文化センター青山教室	〒107	東京都港区南青山1-1-1 新青山ビル西館	☎03(3475)1151
NHK学園大手町教室	〒100	東京都千代田区大手町2-3-1 逓信総合博物館	☎03(3231)5871
NHK学園国立教室	〒186	東京都国立市富士見台2-36	☎0425(72)3151
NHK学園新宿教室	〒160	新宿区西新宿3-7-1 パークタワー8F	☎03(5322)6564
NHK文化センター東陽町教室	〒136	東京都江東区東陽2-3-20 東陽町タウンセンター内	☎03(3699)0022
NHK文化センター町田教室	〒194	東京都町田市原町田6-13-21 SHALL長崎屋内	☎0427(26)0112
朝日カルチャーセンター新宿教室	〒163-02	新宿区西新宿2-6-1 新宿住友ビル私書箱22号	☎03(3344)1941
産経学園渋谷教室	〒150	東京都渋谷区宇田川町23-3 渋谷第一勧銀共同ビル5F	☎03(3476)4451
西武コミュニティーカレッジ池袋教室	〒171	東京都豊島区南池袋1-28-1	☎03(3988)9281
京王友の会教室聖蹟桜ヶ丘店	〒206	東京都多摩市関戸1-10-1	☎0423(37)2111
NHK文化センター柏教室	〒277	千葉県柏市末広町4-16 小田山ビル	☎0471(48)1711
NHK文化センター前橋教室	〒371	前橋市大手町2-6-20 安田生命前橋ビル2F	☎0272(21)1211
NHK文化センターユーカリが丘教室	〒285	千葉県佐倉市ユーカリが丘4-1 ウエストタワー2F	☎043(462)1121
朝日カルチャーセンター千葉教室	〒280	千葉市中央区中央1-11-1 ツインビル1号館5F	☎043(227)0131
朝日カルチャーセンター横浜教室	〒220	横浜市西区高島2-16-1 横浜ルミネ8F	☎045(453)1122
産経学園浦和教室	〒336	埼玉県浦和市高砂2-1-1 プラザー明治生命ビル5F	☎048(822)8211
産経学園新百合丘教室	〒215	川崎市麻生区上麻生1-4-1 小田急エルミロード6F	☎044(965)0931
NHK文化センター川越教室	〒350	埼玉県川越市中原町2-2-1 まるひろカルチャー館	☎0492(22)2010
NHK学園フレンテ西宮教室	〒662	兵庫県西宮市池田町11-1 フレンテ西宮4F	☎0798(22)2119
NHK文化センター大阪梅田教室	〒530	大阪市北区梅田1-11-4 第4ビル24F	☎06(343)2281
NHK文化センター神戸教室	〒650	神戸市中央区東川崎町1-8-1 オーガスタプラザ13F	☎078(360)6198
NHK文化センター名古屋栄教室	〒461	名古屋市東区東桜1-13-3 NHK名古屋放送センタービル7F	☎052(952)7330
NHK文化センター広島教室	〒730	広島県広島市中区三川町2-10 愛媛ビル	☎082(242)1151
NHK文化センター大分教室	〒870	大分県大分市荷揚町3-1 第百生命ビル7F	☎0975(33)9191
NHK文化センター福岡教室	〒810	福岡市中央区天神1-7-11 イムズビル	☎092-733-2100
NHK文化センター札幌教室	〒060	札幌市中央区北一条西6丁目 安田火災北海道ビル	☎011-222-5011
NHK文化センター仙台教室	〒980	仙台市青葉区一番町4-4-30 長崎屋ビル	☎022-224-4811
NHK文化センター浜松教室	〒430	静岡県浜松市板屋町111-2 アクトタワー8F	☎0975-33-9191

●本部認定講師 勝間田純子　矢部百子　橋本由美子　角一真由美　松尾美奈子　伊藤八重子　河野節子　志賀葉末　島田俊子　前原美佐子　額賀志圭子　土屋咲恵　森田雅子　保崎君江　林 京子　村山則子　具嶋トヨ　篠田千鶴子　駒場幸子　西山澄子　高 日露子　笠 みき　石田美枝子　佐野正子　岡村満利子　徳富道子　佐藤光子　池上恵子　土方珠江　林 阿都子　指原美栄子　相沢智美　鈴木勝子　池田八重子　近藤良江　森 明子

●シリーズ／わたしの手芸

ビーズ織り —GLASS BEADS WORK—

著者　佐古孝子　©〈検印省略〉 TAKAKO SAKO

発行者　田波清治

発行所　株式会社 マコー社

〒113　東京都文京区本郷4—13—7
TEL　東京(03)3813-8331(代)
FAX　東京(03)3813-8333
郵便振替／00190-9-78826番

印刷所　大日本印刷株式会社

平成7年12月9日6版発行

定価はカバーに表示してあります。落丁・乱丁その他不良の品はお取り替えいたします。
ISBN4-8377-0286-4